COLLECTION FONDÉE EN 1984
PAR ALAIN HORIC
ET GASTON MIRON

TYPO EST DIRIGÉE PAR
PIERRE GRAVELINE

AVEC LA COLLABORATION DE
SIMONE SAUREN
ET JEAN-YVES SOUCY

TYPO bénéficie du soutien de la Société de développement des entreprises culturelles du Québec (SODEC) pour son programme d'édition.

Gouvernement du Québec – Programme de crédit d'impôt pour l'édition de livres – Gestion SODEC.

Nous reconnaissons l'aide financière du gouvernement du Canada par l'entremise du Programme d'aide au développement de l'édition (PADIÉ) pour nos activités d'édition.

Nous remercions le Conseil des Arts du Canada de l'aide accordée à notre programme de publication.

BOUSILLE ET LES JUSTES

GRATIEN GÉLINAS

Bousille et les Justes

Théâtre

TYPO

Éditions TYPO
Une division du groupe Ville-Marie Littérature
1010, rue de La Gauchetière Est
Montréal, Québec H2L 2N5
Tél. : (514) 523-1182
Téléc. : (514) 282-7530
Courriel : vml@sogides.com

Photo de la couverture : Gaby

Données de catalogage avant publication (Canada)

Gélinas, Gratien, 1909-1999
Bousille et les Justes
Nouv. éd. augm.
(Typo ; 93. Théâtre)
Éd. originale : Québec : Institut littéraire du Québec. c1960.
Comprend des réf. bibliogr.
ISBN 2-89295-180-1
I. Titre. II. Collection : Typo ; 93. III. Collection : Typo. Théâtre.
PS8513.E44B6 2002 C842'.54 C2002-940238-7
PS9513.E44B6 2002
PQ3919.G44B6 2002

DISTRIBUTEURS EXCLUSIFS :

• Pour le Québec, le Canada
et les États-Unis :
LES MESSAGERIES ADP*
955, rue Amherst
Montréal, Québec
H2L 3K4
Tél. : (514) 523-1182
Téléc. : (514) 939-0406
*Filiale de Sogides ltée

• Pour la France :
Librairie du Québec – D.E.Q.
30, rue Gay-Lussac, 75005 Paris
Tél. : 01 43 54 49 02
Téléc. : 01 43 54 39 15
Courriel : liquebec@cybercable.fr

• Pour la Suisse :
TRANSAT S.A.
4 Ter, route des Jeunes
C.P. 1210
1211 Genève 26
Tél. : (41-22) 342-77-40
Téléc. : (41-22) 343-46-46

Pour en savoir davantage sur nos publications,
visitez notre site : **www.edtypo.com**
Autres sites à visiter : • www.edvlb.com • www.edhexagone.com
www.edhomme.com • www.edjour.com • www.edutilis.com

Édition originale :

Dépôt légal : 2e trimestre 2002
Bibliothèque nationale du Québec
Bibliothèque nationale du Canada

Nouvelle édition

ISBN 2-89295-180-1

Bousille et les Justes
de Gratien Gélinas
a été jouée pour la première fois le 17 août 1959,
lors des Festivals de Montréal,
au Théâtre de la Comédie-Canadienne,
dans un décor de Jacques Pelletier,
des costumes de Solange Legendre
et d'après une mise en scène de l'auteur
en collaboration avec Jean Doat,
avec, par ordre d'entrée en scène,
Pascal Desgranges (le garçon),
Jean Duceppe (Phil Vezeau),
Yves Létourneau (Henri Grenon),
Béatrice Picard (Aurore Vezeau),
Gratien Gélinas (Blaise Belzile, dit Bousille),
Juliette Huot (la mère),
Nicole Filion (Noëlla Grenon),
Paul Hébert (l'avocat),
Gilles Latulippe (le frère Nolasque),
Monique Miller (Colette Marcoux)

PREMIER ACTE : le matin du premier jour, vers huit heures et demie.

DEUXIÈME ACTE : le soir du premier jour, vers six heures.

(L'unique entracte se place ici.)

TROISIÈME ACTE : le matin du deuxième jour, vers neuf heures.

QUATRIÈME ACTE : l'après-midi du deuxième jour, vers quatre heures et demie.

Les mots et les expressions propres au Québec sont imprimés en italique dans le texte. Le lecteur, s'il le désire, pourra en trouver la signification ou l'équivalent à la fin de l'ouvrage.

LE DÉCOR
(Le même pour les quatre actes.)

L'action se passe à Montréal, de nos jours, dans une chambre banale d'un hôtel de deuxième ordre, à deux pas du Palais de justice.

Coupant presque en deux le pan du fond, un petit prolongement de la pièce aboutit à la porte principale face au public, à la penderie côté jardin et à la salle de bain côté cour.

Au fond, flanquant ce prolongement, deux commodes, de hauteur inégale, dont l'une avec glace.

Côté jardin, un petit secrétaire avec téléphone. Au deuxième plan, la porte d'une chambre communicante qu'on devine meublée d'aussi monotone façon.

Côté cour, devant la fenêtre au premier plan, un fauteuil et l'inévitable radiateur. Plus haut, le lit et sa petite table de chevet.

Un usage robuste a marqué le mobilier et la literie, qui d'ailleurs n'ont jamais été de bonne qualité. Les murs, décorés d'une couple de chromos insignifiants, ont pris cette teinte flétrie que donnent la poussière et la fumée.

PREMIER ACTE

Au lever du rideau, la scène est vide. Puis on entend la clef tourner dans la serrure. La porte s'ouvre et un garçon d'hôtel paraît, portant une petite valise et un sac à tout mettre, qu'il vient déposer sur le porte-bagages au pied du lit. Il ira ensuite lever le store de la fenêtre et ouvrir la porte de la chambre communicante.

Phil, qui porte un flacon enveloppé, est entré à sa suite et s'arrête pour inspecter la chambre d'un regard circulaire.

PHIL. En plein ce qu'il nous faut, hein, Henri ?

HENRI, *qui le suivait.* Range-toi, que je téléphone à l'avocat : il n'y a pas de temps à perdre. *(Il se précipite vers le téléphone et consulte un papier qu'il a sorti de sa poche.)*

PHIL, *jette sur le lit ce qu'il portait.* Pas de temps à perdre pour moi non plus : depuis Trois-Rivières que je nourris le projet ! *(Il s'engouffre dans la salle de bain.)*

HENRI, *qui a décroché le récepteur, tend un pourboire au garçon.* Tiens.

LE GARÇON. Merci, m'sieur. *(Il sort.)*

HENRI, *à l'appareil.* Lafontaine 3-4516... Un, six, oui.

AURORE, *qui est entrée.* Phil, où est-il passé ?

HENRI, *signe de la tête vers la salle de bain.* Là-dedans.

AURORE, *enlevant son manteau et le jetant sur le lit.* N'oublie pas d'appeler l'avocat.

HENRI, *le récepteur sur l'oreille.* Qu'est-ce que je fais là, tu penses ?

AURORE. Il n'est pas tout seul à avoir le téléphone à Montréal ! *(Elle a visiblement les nerfs tendus.)* D'accord ! Mettez-vous tous à ruer dans les brancards : ça arrangera les choses.

HENRI, *au téléphone.* Tant pis... Merci, mam'zelle. *(Raccroche le récepteur, contrarié.)* Ouais !

AURORE. Pas de réponse ?

HENRI. Non.

AURORE. Qu'est-ce qu'il a, lui, à flâner au lit quand il plaide une cause dans trois quarts d'heure ?

HENRI, *consultant sa montre.* Neuf heures moins vingt : il est peut-être encore à la maison. Je vais l'appeler là. *(Il cherche un numéro sur son papier.)*

AURORE, *le nez dans la porte de la chambre communicante.* Tu as loué deux chambres ?

HENRI, *à l'appareil.* Mam'zelle, essayez donc Victor 4-5843.

AURORE. Il va coûter cher, ce procès-là !

HENRI. Eh ben, quoi ? On est six : deux lits, c'est pas trop.

Aurore disparaît dans la pièce voisine, en haussant les épaules.

HENRI, *nerveux, au téléphone.* Allô ! Madame Lacroix ?... Est-ce que je pourrais dire un mot à votre mari ?... Ah ! Il y a longtemps de ça ?... Henri Grenon, de Saint-Tite... Bonjour, madame... Eh oui, il doit défendre mon frère, Aimé, aux assises à dix heures... Justement, oui... Savez-vous s'il se rendait tout droit à son bureau ?... Ouais... Eh ben, je le rappellerai là dans un quart d'heure... Écoutez, madame : je ne voudrais pas le manquer pour tout l'or du monde ; alors si, de votre côté, vous avez de ses nouvelles avant que je l'attrape, demandez-lui donc de téléphoner en vitesse à l'hôtel Corona, chambre... *(Demande aux autres, qui ne sont pas là.)* Quel numéro, notre chambre ? *(Le découvre sur le cadran du téléphone.)* Chambre 312, madame... *(Volubile.)* Excusez-moi de vous demander ce service-là, mais, vous comprenez, je suis passablement sur les épines aujourd'hui. Je m'étais bien promis d'être à Montréal à huit heures tapant, mais j'ai eu une crevaison en sortant de Louiseville... Entendu... Vous avez pris ça en note ? Chambre 312, à l'hôtel Corona... Juste à un coin de rue du Palais de justice... Bon... Merci, madame. Vous êtes bien aimable... *(Il s'apprête à raccrocher mais se ravise.)* Pardon, madame : savez-vous à quelle salle, le procès ? Allô !... *(Raccroche le récepteur.)*

PHIL, *qui est sorti, détendu, de la salle de bain.* J'ai l'esprit plus tranquille comme ça.

HENRI. Je viens de parler à sa femme.

PHIL, *perdu.* La femme de qui ?

HENRI. De l'avocat, bon Dieu !

PHIL. Pourquoi te choquer, le beau-frère ? T'es bien chatouilleux !

HENRI. On voit que c'est pas toi qui moisis depuis quatre mois derrière les barreaux !

PHIL. Rassure-toi : ça me chiffonne la tranquillité, à moi aussi.

HENRI. Sans blague !

Aurore revient de la chambre voisine.

PHIL. Demande à ta sœur : elle te dira que depuis une semaine je passe mes nuits à me tortiller dans la couchette.

AURORE. En ronflant comme une tondeuse à gazon, oui. *(À Henri.)* Et puis, qu'est-ce qu'elle t'a rabâché, la femme de l'avocat ?

HENRI. Qu'il devrait être à son bureau dans un quart d'heure au plus.

AURORE. Moi à ta place, j'irais l'attendre là.

HENRI. Peut-être, oui… C'est ici, à côté.

AURORE. Vas-y donc. Je serai tranquille quand tu lui auras mis la main au collet.

Bousille entre, à bout de souffle : il porte un thermos et un panier de victuailles. Sous son bras, les journaux du matin.

PHIL. V'là Bousille, avec les journaux.

BOUSILLE. Tiens, Henri.

HENRI, *lui arrache les journaux*. Arrive, toi ! *(Il en ouvre un, après avoir jeté l'autre sur le lit.)* Je t'avais dit de te grouiller.

BOUSILLE. Je regrette, Henri, j'ai été obligé de courir au deuxième coin.

AURORE. Où as-tu laissé maman ?

BOUSILLE. En bas, avec la femme d'Henri. Elle se repose une seconde. Avez-vous rejoint l'avocat ?

AURORE, *par-dessus l'épaule de Phil, qui scrute le second journal.* Saint Antoine de Padoue, je vous promets une grand-messe si on ne trouve rien là-dedans !

BOUSILLE, *à Phil.* J'ai parqué l'auto à côté de l'hôtel. Tiens, les clefs. *(Comme Phil, trop absorbé dans son journal, ne répond pas, il les lui glisse dans sa poche de veston.)* Excusez-moi… *(À Aurore.)* Je redescends aider Noëlla à faire monter ta mère. *(Dans la porte.)* Au cas où vous auriez oublié : il faudrait bien téléphoner à l'avocat. *(Il sort.)*

AURORE, *qui peste en se promenant dans la chambre.* Ghislaine qui attrape la coqueluche ce printemps, maman qui pique une crise de pression artérielle cet été, lui qui subit un procès cet automne ! Qu'est-ce qui nous attend cet hiver ?

PHIL, *a trouvé quelque chose dans son journal.* Ouais ! Eh ben, console-toi, Minoune : tu n'auras pas à la payer, ta grand-messe.

AURORE. Non ! Pas vrai ? *(Elle s'approche, de même qu'Henri.)*

PHIL. Heureusement, c'est seulement un paragraphe dans un petit coin.

HENRI. Embraye, lis !

PHIL, *lisant.* « Aimé Grenon aux assises. Ce matin à dix heures, devant la Cour du banc de la Reine, présidée par l'honorable juge Bernard Montgrain, s'instruira le procès d'Aimé Grenon, de Saint-Tite de Champlain. Grenon, célibataire âgé de vingt-quatre ans, est accusé d'avoir causé la mort de Bruno Maltais, vingt-deux ans, de Montréal, au cours d'une rixe survenue le trente mai dernier dans un restaurant de Pont-Viau. »

AURORE. Doux Jésus ! On va le boire, le calice. On va donc le boire jusqu'au bout !

PHIL. Bah ! qu'est-ce que ça change ? Tous les gens qui nous connaissent sont au courant de l'affaire.

AURORE. Une famille respectable comme la nôtre, qui n'a jamais eu gros comme ça à débattre avec la justice !

PHIL. Justement parce qu'on est *du bon monde,* le petit Jésus ne nous laissera pas le nez dans la crotte.

HENRI, *les dents serrées.* Tout ce qui compte, c'est que je le sorte de là les mains nettes, lui.

PHIL. Ce sera d'autant plus facile qu'il est innocent.

AURORE. Certain, qu'il l'est ! Ça ne fait pas le moindre doute.

PHIL. Attends que le juge l'annonce du haut de son banc : tu verras les caquets se rabattre à Saint-Tite.

HENRI, *c'est son idée fixe.* Il va sortir de là, lui, aussi vrai que je m'appelle Henri Grenon.

PHIL. Têtu comme je te connais, tu vas en venir à bout.

HENRI, *comme la porte s'ouvre.* Attention, v'là maman !

AURORE, *à Phil.* Cache les journaux !

On essaie de les escamoter.
La mère entre avec Noëlla, qui lui donne le bras. Bousille les suit avec un sac et un petit radio-récepteur.

LA MÈRE. Il est question de lui dans le journal ?

AURORE. Mais non ! Cessez donc de vous faire de la bile pour rien. *(Elle a élevé la voix pour lui parler, car la mère souffre de surdité et porte un petit appareil à l'oreille.)*

PHIL. C'est moi qui jetais un coup d'œil sur la page des sports.

NOËLLA. Donnez-moi votre manteau, madame Grenon.

LA MÈRE. Non, je le garde : tu sais ce que j'ai dit, Noëlla.

BOUSILLE, *aux autres, en aparté.* Elle est mordue d'aller voir Aimé tout de suite : elle ne voulait même pas monter.

AURORE. Voir Aimé ? Mais pour quoi faire ?

LA MÈRE. Pour le consoler, voyons !

HENRI. Ce n'est pas le temps, ce matin.

LA MÈRE. S'il n'a pas besoin de sa mère aujourd'hui, quand est-ce qu'il aura besoin d'elle, pauvre petit ?

HENRI, *sèchement.* Vous, maman, serrez vos crises de nerfs ! On en a déjà plein les bras sans vous. *(À Aurore.)* Je file chez l'avocat.

AURORE, *à Henri qui sort.* Tâche de ne pas le rater.

LA MÈRE. Cette toquade que vous avez, tous ensemble, de m'empêcher de le voir !

NOËLLA, *insiste doucement.* Enlevez votre manteau, vous allez avoir chaud.

LA MÈRE, *qui obéit à contrecœur.* Des fois, Noëlla, ton mari a le cœur bien dur pour sa pauvre mère.

AURORE. Comprenez donc ! L'avocat l'a dit à Henri, la semaine passée : pendant le procès, les visites à l'accusé sont interdites.

LA MÈRE. L'accusé, l'accusé ! Quand je vous entends prononcer ce mot-là ! Vous savez bien qu'il est innocent.

AURORE. Nous autres, on le sait. Mais le juge ne le sait pas encore, lui. C'est pour ça qu'il faut un procès.

LA MÈRE. Depuis le mois de mai qu'il souffre le martyre, enfermé dans une cellule, lui qui n'aurait pas fait de mal à un maringouin !

PHIL. Justement, le procès va tirer l'affaire au clair et, ensuite, vous pourrez continuer à le dorloter à votre aise.

LA MÈRE. Vous allez au moins me laisser assister au procès ?

AURORE, *catégorique*. Ce matin, vous allez rester ici, bien tranquille. Avec la pression que vous avez, vous faites mieux de ne pas trop vous énerver.

LA MÈRE. Mais... cet après-midi ?

AURORE. Cet après-midi, peut-être, si vous promettez d'être raisonnable.

LA MÈRE. Je te le promets.

AURORE. Et de ne pas pleurer à chaudes larmes devant tout le monde.

LA MÈRE. Bousille ! En attendant, donne-moi sa photo ; elle est dans ma valise.

PHIL, *à Aurore, en aparté*. Ce serait peut-être une bonne chose, tu sais.

AURORE. Quoi ?

PHIL. Qu'elle se montre le nez au Palais de justice. Pour attendrir le jury, il n'y a rien comme la mère de l'accusé qui pousse un beau sanglot dans la salle.

AURORE. J'espère qu'on n'aura pas à compter là-dessus.

BOUSILLE, *apporte à la mère un petit encadrement contenant la photo d'Aimé en premier communiant*. Tenez, ma tante.

LA MÈRE. Mets-la sur la commode, avec la statue de la bonne sainte Anne que j'ai apportée.

BOUSILLE. Entendu, ma tante.

PHIL, *examine la photo*. Vous auriez pu en prendre une plus nouvelle. On ne dirait jamais là-dessus d'un colosse de cinq pieds onze pouces et demi !

LA MÈRE. Il a grandi, mais il n'a pas changé.

NOËLLA, *qui s'affairait discrètement d'une chambre à l'autre*. Étendez-vous donc sur le lit ; ça vous reposera.

LA MÈRE. J'aime mieux rester assise : j'étouffe, couchée, avec mon corset.

AURORE. Votre boule sur l'estomac, l'avez-vous toujours ?

LA MÈRE. Il me semble qu'elle grossit.

AURORE. Si vous pouviez pleurer, ça vous soulagerait. C'est le temps de vous laisser aller : on est en famille.

LA MÈRE. Je sais que ça me ferait du bien, mais je ne peux pas y arriver.

PHIL, *en train de se servir un verre à même la bouteille qu'il a apportée*. Refoulez pas, la belle-mère, refoulez pas ; lâchez la vapeur !

LA MÈRE. Bousille ! Donne-moi mon sac, que je prenne mon chapelet.

BOUSILLE. Tout de suite, ma tante. *(Revenant déjà avec le sac à main de la mère.)* À propos, je vous ai installé votre radio : vous pourrez entendre le rosaire en famille, à sept heures.

LA MÈRE. Faudra pas oublier. Quels mystères le lundi déjà ?

BOUSILLE. Les mystères joyeux, ma tante.

LA MÈRE, *qui fouillait dans son sac à main.* Mon Dieu ! Aurore !

AURORE. Quoi ? Qu'est-ce qu'il y a ?

LA MÈRE. J'ai perdu mon chapelet !

AURORE, *s'approchant.* Vous êtes sûre qu'il n'est pas dans votre sac ? *(Elle l'examine elle-même.)*

LA MÈRE. Mon beau chapelet du Tiers Ordre !

NOËLLA. Vous en êtes-vous servi dans la voiture ?

LA MÈRE. Non. Il fallait que je le perde aujourd'hui, où j'ai tellement besoin de prier pour Aimé !

AURORE. Je mettrais ma main au feu que, dans votre énervement, vous l'avez oublié à la maison.

LA MÈRE. Alors téléphone tout de suite : je veux savoir.

AURORE. Entendu. On va dépenser deux *piastres* au téléphone pour retrouver un chapelet de soixante-quinze cents !

NOËLLA. Si ça peut la rassurer, il n'y a pas à hésiter une seconde.

PHIL. Appelle donc : j'en profiterai pour parler à Roland au garage.

AURORE. Pas étonnant qu'on tire le diable par la queue. *(Elle se dirige vers le téléphone.)*

LA MÈRE. Bonne sainte Anne, je vous promets trois gros lampions à une *piastre* si je le retrouve !

PHIL. Attendez donc deux minutes avant de promettre : il n'est peut-être pas perdu plus que vous.

AURORE, *au téléphone.* Allô, mademoiselle, voulez-vous me donner le numéro 3684, à Saint-Tite de Champlain… N'importe qui…

BOUSILLE, *son chapelet à la main.* Ma tante, je peux vous prêter le mien, si vous voulez.

LA MÈRE. C'est mon chapelet qu'il me faut!

PHIL. Vous avez raison: quand on s'est fait la main à un bon outil, c'est toujours embêtant d'en changer.

AURORE, *au téléphone*. Allô, Gontran? C'est maman, mon petit homme... Écoute: va voir si le chapelet de mémère ne serait pas quelque part dans sa chambre.

LA MÈRE. Dis-lui de regarder sous mon oreiller.

AURORE, *au téléphone*. Commence par regarder sous son oreiller. Dépêche-toi et passe-moi Ghislaine en attendant.

PHIL. N'oublie pas, je veux parler à Roland au garage.

AURORE, *au téléphone*. Allô, Ghislaine! Si madame Laberge n'est pas arrivée quand tu partiras pour l'école, laisse-lui la clef en passant... Si elle essaie de te tirer les vers du nez au sujet de ton oncle Aimé, réponds que tu ne sais rien... Si tu fais la bonne fille, maman t'apportera un cadeau... Non, non: quelque chose de pas utile...

PHIL, *entre ses dents*. Un beau livre de messe!

AURORE, *au téléphone*. Quoi?... *(À la mère.)* Il était là votre chapelet, évidemment.

LA MÈRE, *soulagée*. Merci, bonne sainte Anne!

AURORE, *au téléphone*. Non... il est loin d'être fini, le procès: il n'est même pas commencé... Je ne sais pas... On retournera peut-être ce soir. Ça dépendra.

LA MÈRE. En tout cas, je veux aller coucher à la maison, moi, et chercher mon chapelet.

AURORE, *au téléphone*. Oui, oui...

PHIL. Hé! n'exagérez pas, la belle-mère: c'est une trotte, aller et retour.

AURORE, *au téléphone.* Sonne Roland au garage, en bas: papa voudrait lui dire un mot. *(À Phil.)* Arrive, toi !

PHIL, *se dirige vers le téléphone.* D'autant plus que j'ai affaire en ville, moi, ce soir.

LA MÈRE, *têtue.* Je vous préviens : je ne passerai pas la nuit à l'hôtel sans chapelet comme une *guidoune* !

PHIL, *qui a pris le récepteur.* Allô !

BOUSILLE. Soyez tranquille, ma tante : je vous conduirai, moi.

AURORE. Conduire où ?

BOUSILLE. À Saint-Tite. Ça ferait mon affaire, j'aimerais aller voir au chien. La maison est presque vide : il se sent peut-être joliment perdu.

PHIL, *au téléphone.* Allô ! Roland ?... Phil... Dis donc, le gars de l'accident d'hier, il n'est pas encore venu, ce matin, pour son estimation ?... Fourre-le dedans tant que tu pourras, hein ? C'est un gars de La Tuque : on ne lui reverra jamais la carrosserie... Certain... Salut ! *(Raccroche.)*

LA MÈRE. Que je vais donc trouver le temps long, aujourd'hui, sans chapelet !

PHIL, *reprenant son verre.* Ah, je vous comprends ! Je me mets à votre place.

BOUSILLE. Savez-vous, ma tante : j'ai presque envie de demander à mon petit frère de venir vous désennuyer.

LA MÈRE. Quel petit frère ?

BOUSILLE. Vous vous souvenez : Fernand... Frère Nolasque en religion.

LA MÈRE. Il a quel âge, celui-là ?

BOUSILLE. Dix-sept ans. Il est le dernier du deuxième lit.

LA MÈRE, *se rappelle vaguement.* Ah, oui !

BOUSILLE. Il est au noviciat des frères, à trois coins de rue d'ici.

PHIL. Lui, il vous changerait le mal de place d'un coup sec.

BOUSILLE. Certain !

LA MÈRE. Si tu penses qu'il peut m'encourager...

BOUSILLE. C'est pur, cet enfant-là ! Il est entré au juvénat à onze ans et demi.

PHIL. Ouais ! Ça doit lui faire une vaste expérience de la vie.

BOUSILLE. Je peux aller le chercher tout de suite : il m'a écrit jeudi passé qu'aujourd'hui, justement, il aurait congé en l'honneur du frère provincial.

PHIL. Vas-y donc.

LA MÈRE, *pendant que Bousille se prépare à sortir.* Sais-tu, Aurore, j'ai envie de me mettre à mon aise et de m'étendre sur le lit dans l'autre chambre.

AURORE. Bien sûr, vous auriez dû le faire plus tôt. Venez. *(Elles disparaissent ensemble dans la chambre voisine.)*

BOUSILLE, *à Phil.* Si l'avocat arrive, dis-lui que je reviens dans cinq minutes.

PHIL. Entendu ! *(Sérieux.)* Quant à ton petit frère, n'oublie pas de lui tenir la main en traversant la rue.

BOUSILLE, *perdu.* Pardon ?

La porte s'ouvre : Henri entre, accompagné de l'avocat.

HENRI. Maître Lacroix, je vous présente ma femme.

L'AVOCAT. Bonjour, madame.

HENRI. Mon beau-frère, Phil Vezeau.

PHIL, *serre la main de l'avocat.* Vous pouvez être sûr qu'on vous attendait comme le docteur au moment de l'accouchement.

Aurore sort de la chambre voisine et devance Bousille, qui attendait la main tendue.

PHIL, *la présentant.* Aurore, mon chef de police.

AURORE. Bonjour, monsieur... Ce n'était pas la peine de vous déranger : on aurait pu aller à votre bureau.

L'AVOCAT. C'était plus simple de cette façon. Et plus rapide surtout.

HENRI. Où est maman ?

AURORE. De l'autre côté. Elle vient tout de suite.

PHIL, *que Bousille a tiré par la manche.* On allait oublier un de vos témoins récalcitrants. *(Il le présente.)* Blaise Belzile. Mieux connu dans le monde du vice organisé sous le nom de Bousille.

L'AVOCAT. Bonjour, monsieur.

PHIL, *expliquant.* Un vague petit-cousin éloigné, du côté de ma femme.

L'AVOCAT. Belzile ?... Vous êtes le seul du groupe, je crois, qui avez été assigné comme témoin ?

PHIL. Tout juste, oui. *(Il a répondu pour Bousille, que le trac paralyse.)*

AURORE. Je vous dis qu'il avait hâte de vous voir !

PHIL. En deux mots, il voudrait que vous lui fassiez répéter son rôle avant la séance.

L'AVOCAT, *à Bousille.* Rassurez-vous : nous prendrons le temps d'aller au fond de l'affaire, dans l'intérêt de l'accusé comme dans le vôtre. Mais pas ce matin. D'ailleurs il est peu probable que vous témoigniez aujourd'hui. Le choix du jury et l'exposé de la cause occuperont sans doute la matinée ; et il ne restera pas grand-chose de l'après-midi, après la déposition du médecin qui a constaté le décès de la victime, celle du médecin légiste qui a pratiqué l'autopsie, les constatations de la police, la présentation des photos et des autres pièces à conviction, s'il y en a...

PHIL, *à Bousille.* Pas trop désappointé d'attendre à demain ?

BOUSILLE. Ah ! Quant à moi, il n'y a rien qui presse. Du moment que...

L'AVOCAT. Si par hasard les choses marchaient plus rondement, je vous verrais entre midi et deux heures. Mais je crois plus sûr de vous donner rendez-vous pour la fin de la journée.

AURORE, *comme la mère sort de la chambre voisine.* Maman, je vous présente monsieur l'avocat Lacroix. *(À l'avocat.)* Parlez-lui un peu fort. *(Elle lui indique l'appareil que la mère porte à l'oreille.)*

L'AVOCAT. Bonjour, madame.

LA MÈRE, *se jette sur l'avocat.* Vous allez me le sauver, mon Aimé, pas vrai ?

L'AVOCAT. Soyez sûre que je ferai de mon mieux.

BOUSILLE, *discrètement, à Phil.* Je m'en vais chercher Nolasque. *(Il sort.)*

LA MÈRE, *qui a pris la photo sur la commode.* C'est lui, ça, pauvre petit garçon.

L'AVOCAT, *pour être aimable.* Je le reconnais, en effet.

PHIL. Oui ? Eh ben, vous êtes bon, vous !

HENRI. Écoutez, maman : le procès commence dans un quart d'heure et monsieur Lacroix a des questions à poser...

LA MÈRE. À moi ?

AURORE, *ahurie*. Non, pas à vous.

HENRI. Alors, retournez donc dans l'autre chambre vous reposer cinq minutes.

NOËLLA. Venez, madame Grenon : c'est l'heure de votre piqûre.

LA MÈRE, *à l'avocat*. Démenez-vous, hein ? Comme jamais !

L'AVOCAT. Comptez sur moi.

LA MÈRE. Même si je n'ai pas de chapelet, je vais faire tout mon possible pour prier pour vous.

Elle disparaît dans la chambre voisine avec Noëlla.

L'AVOCAT. Alors, durant les quelques minutes qui nous restent, nous allons tâcher de résumer l'affaire, telle que j'ai pu la reconstituer à l'aide des dépositions faites à l'enquête du coroner et *(À Henri.)* des conversations que nous avons échangées.

AURORE. Écoutez, monsieur Lacroix : si vous êtes pressé, je vais vous le dire en deux mots, moi, le comment et le pourquoi de tout ce gâchis-là. Aimé, c'est un pauvre garçon sans défense qui a eu le malheur de tomber dans les pattes d'une petite garce, Colette Marcoux. Une petite garce qui lui a complètement tourné la tête, pour ensuite le rendre malheureux comme les pierres en aguichant tous les matous qui lui frôlaient la jupe. Le moment est venu où il n'en pouvait plus, pauvre lui ! Il s'est pris aux cheveux avec un de ceux-là et le diable – ou le bon Dieu, à votre goût – a voulu que ce soit l'autre qui tombe et qui ne se relève pas. Voilà toute l'histoire !

HENRI. S'il s'est fracturé le crâne, c'est bien dommage, mais moi je dis : tant pis pour celui qui a commencé la chicane.

L'AVOCAT, *consultant ses notes.* L'accident est survenu le trente mai, n'est-ce pas ?

AURORE. Oui. En plein le jour des noces de Noëlla et d'Henri.

L'AVOCAT. ... Vers quatre heures de l'après-midi.

AURORE. On venait à peine de repartir pour Saint-Tite.

HENRI. Moi, j'ai su ce qui était arrivé à minuit et demi seulement, quand Phil m'a téléphoné à Old Orchard.

PHIL. Ça me fendait le cœur de lui décrocher la lune de miel, mais il le fallait bien.

L'AVOCAT. Le mariage avait eu lieu à Pont-Viau...

AURORE. Dans la paroisse de Noëlla, oui.

L'AVOCAT. Et c'est dans un restaurant de l'endroit que l'accident s'est produit ?

AURORE. C'est là qu'Aimé les a surpris la main dans le sac.

L'AVOCAT. Vous voulez parler de mademoiselle Marcoux et de la victime ?

AURORE. Bruno Maltais, oui.

L'AVOCAT. Ils avaient assisté tous les deux au mariage ?

AURORE. Colette et Aimé étaient fille et garçon d'honneur, figurez-vous. Quant à l'autre, il s'était faufilé dans la noce comme un renard dans un poulailler.

NOËLLA, *qui était venue chercher quelque chose dans la salle de bain.* Aurore, je te demande bien pardon : Bruno ne s'était pas faufilé, il avait reçu un faire-part comme tous les autres invités, étant donné que son frère a épousé ma sœur il y a cinq ans.

Henri la suit du regard, comme elle retourne dans la chambre voisine.

AURORE. Depuis qu'elle est enceinte, elle est ombrageuse, elle !

PHIL, *à l'avocat.* Faites pas attention : on a tous les nerfs en boule, aujourd'hui.

L'AVOCAT. Je comprends. Pour en revenir à mademoiselle Marcoux, j'aimerais bien connaître son attitude.

AURORE. Son attitude, son attitude ! Pas moyen de savoir : elle n'a pas remis les pieds à Saint-Tite depuis ce jour-là. Excepté une fois, à ce qu'il paraît, pour chercher sa valise en pleine nuit.

PHIL. Elle a eu peur des commérages, vous comprenez.

HENRI. Si vous voulez la questionner, ma femme a son numéro de téléphone à Montréal.

L'AVOCAT. Cela ferait bien mon affaire. Je pourrais la voir en même temps que monsieur Belzile. Si elle accepte, évidemment.

HENRI. Soyez tranquille, elle viendra. *(Il disparaît dans l'autre chambre.)*

PHIL. Le plus embêtant, c'est que personne de la famille n'était là quand le grabuge est arrivé.

AURORE. Eh oui ! Comme seuls témoins, cette petite gueuse de Colette… et puis Bousille, un chien de garde avec des béquilles ! À peine assez déluré pour distinguer sa bottine gauche de sa bottine droite.

PHIL. Dis pas de mal de lui : il est bien serviable pour les commissions.

NOËLLA, *venant de la chambre voisine.* Écoutez, monsieur Lacroix : Colette Marcoux était ma meilleure amie et elle l'est toujours. Et je ne contribuerai pas à l'attirer dans quelque manigance.

Les autres protestent vaguement.

L'AVOCAT. Il ne s'agit pas d'une manigance, madame Grenon. C'est un droit et souvent un devoir pour l'avocat de questionner, avant l'audition de la cause, les témoins qui veulent bien s'y prêter.

HENRI, *entre ses dents.* S'agit pas de discuter, tu vas l'appeler.

LA MÈRE, *qui a suivi Noëlla, l'implore.* Fais ça pour moi, ma bonne Noëlla : tu verras ce que c'est que d'être mère, toi aussi, quand ton petit sera au monde !

NOËLLA. Je lui téléphonerai cet après-midi.

HENRI. Appelle-la tout de suite, c'est plus sûr.

L'AVOCAT. Auriez-vous l'obligeance de lui donner rendez-vous pour six heures et demie, ici ou à mon bureau ?

NOËLLA, *au téléphone, pendant que la conversation continue.* Clairval 4-5376.

AURORE, *à l'avocat.* Vous seriez peut-être plus tranquille ici que chez vous.

L'AVOCAT. Les coups de téléphone seraient sûrement moins nombreux.

PHIL. D'ailleurs, parlez-moi d'une chambre d'hôtel pour avoir la paix !

NOËLLA, *au téléphone.* Allô !... mademoiselle Colette Marcoux, s'il vous plaît... Ah ! bon. Je ne reconnaissais pas ta voix : as-tu le rhume ?... Je te comprends, ma pauvre fille... Oui, il y a une demi-heure à peine... Écoute, Colette : j'ai quelque chose à te demander mais je ne voudrais pas que tu te penses obligée de... *(Tout en parlant, elle est sortie dans la pièce voisine avec le téléphone et a refermé la porte sur le fil.)*

AURORE, *qui écoutait, l'oreille tendue, murmure dépitée.* Il y a des jours où je me demande si elle est pour ou contre nous, elle.

HENRI, *grogne.* Laisse faire !

PHIL, *à l'avocat.* Entre quatre murs, qu'est-ce qu'il risque avec ce procès-là, Aimé ? Nous autres, on ne sait pas trop à quoi s'en tenir : des fois, on redoute le pire... et puis d'autres fois, on est sûrs qu'il sera relâché avec des excuses. Votre opinion, à vous ? Le juge ne vous entend pas, là.

L'AVOCAT. Vous savez déjà qu'étant donné les circonstances de l'affaire et les constatations sommaires faites par la police, c'est une accusation de meurtre qui pèse sur lui.

PHIL. Ça ne veut pas dire... la corde ?

LA MÈRE, *dans un sanglot.* Non ! pas vrai ?

AURORE, *au bord des lamentations elle aussi.* Vous, maman, laissez-nous le peu de tête qui nous reste sur les épaules !

L'AVOCAT. Rassurez-vous, madame Grenon : votre fils ne court aucun danger de ce côté.

HENRI. Est-ce qu'il a des chances d'être acquitté ? C'est ce qu'on veut savoir.

L'AVOCAT. Oui, de très bonnes chances. Je ne crois pas que la poursuite puisse soutenir l'accusation dans sa forme actuelle. Non seulement l'accusé n'avait pas, selon toute vraisemblance, l'intention de tuer…

AURORE. Tiens ! c'est bien clair.

HENRI, *lui coupe le sifflet de nouveau*. Écoute donc !

L'AVOCAT, *enchaînant*. … mais encore rien ne prouve jusqu'ici qu'il préméditait son attaque. J'ai même relevé, dans le compte rendu de l'enquête, un détail très intéressant : c'est la victime elle-même qui aurait donné ou fait mine de donner le premier coup.

PHIL. Ouais !

L'AVOCAT. S'il s'agit d'un cas plus ou moins manifeste de légitime défense, après provocation physique et morale de la part de la victime, nous sommes loin des responsabilités du meurtre.

HENRI. Ce qui signifie que… ?

L'AVOCAT. S'il y a le moindre doute à ce sujet, ce doute – selon l'esprit de la loi – doit être favorable à l'accusé.

PHIL. Et d'après vous il existe, ce doute-là ?

L'AVOCAT. À tel point que demain, après la comparution des témoins de la poursuite, j'ai l'intention d'exiger le rejet pur et simple de la cause pour insuffisance de preuve, ainsi que la libération de l'accusé.

AURORE. Jésus Marie ! Si c'était possible.

L'AVOCAT. Évidemment, je ne vous promets rien.

AURORE. S'il est acquitté, on va la relever, la tête !

PHIL. Ah ! quant à moi, je ne l'ai jamais baissée.

LA MÈRE, *à l'avocat*. Vous ne pourriez pas demander au juge de me faire un gros, gros plaisir et de le relâcher tout de suite ?

L'AVOCAT. Je regrette, madame : c'est impossible.

LA MÈRE. Encore une autre éternité à attendre ! Bonne sainte Anne, que je vais donc trouver le temps long !

Noëlla revient de l'autre chambre avec le téléphone.

HENRI. Et puis ?

NOËLLA. Colette sera ici à six heures et demie, à condition que j'aille la chercher.

L'AVOCAT. Je vous remercie, madame.

NOËLLA. Ce n'est pas la peine. *(Elle retourne dans la pièce voisine.)*

HENRI, *à l'avocat, après avoir consulté sa montre*. Je ne voudrais pas vous mettre à la porte, mais il est presque dix heures moins vingt.

L'AVOCAT. Déjà ? Alors je vous revois à la Cour.

HENRI, *à l'avocat*. Vous avez tous vos papiers ?

L'AVOCAT. Ici, oui. *(Il remet le dossier dans sa serviette.)*

PHIL, *à l'avocat avant de se verser un dernier verre*. Monsieur Lacroix, un petit peu de courage en bouteille avant la bataille ?

L'AVOCAT. Non, merci.

PHIL, *se servant*. Moi, je ne prends pas de risque.

HENRI. À quelle salle, l'audience ?

L'AVOCAT, *fouillant dans sa poche*. Attendez, j'ai noté ça quelque part.

HENRI. Savez-vous, comme on n'a jamais mis les pieds dans cette grange-là, je pense qu'on fait mieux de vous suivre.

L'AVOCAT. À votre aise.

Bousille vient d'entrer, accompagné du frère Nolasque.

PHIL, *apercevant le petit frère convers, qui sourit timidement, son chapeau à la main.* Tiens ! V'là notre délégué apostolique.

BOUSILLE. Fernand, je pense que tu connais tout le monde ici, excepté monsieur l'avocat Lacroix. *(Le présentant, une fierté dans l'œil.)* Le révérend frère Nolasque, mon petit demi-frère.

LA MÈRE, *prenant Nolasque par le bras.* Même s'il est seulement un petit-cousin, vous ne voudriez pas l'emmener et le montrer au juge, pour lui prouver qu'on est *du bon monde* ?

L'AVOCAT, *qui sourit.* Je vous remercie, mais je crois que nous avons de meilleurs arguments pour l'en convaincre. *(Prenant congé.)* Alors à ce soir, madame, et bon courage ! *(Il sort, suivi d'Henri.)*

AURORE, *à Phil qui veut finir son verre.* Viens-t'en, toi, espèce de lambin ! *(Le couple s'engouffre dans la porte.)*

BOUSILLE. Attendez-moi ! *(À Nolasque.)* Je suis obligé de déguerpir, moi aussi. Alors je te laisse avec ma tante : tâche de lui donner du réconfort.

NOLASQUE. Je vais faire tout mon possible.

Bousille sort à la suite des autres.

NOËLLA. Je peux vous débarrasser de votre chapeau ? *(Elle le prend.)*

NOLASQUE, *bredouille*. C'est trop de bonté.

LA MÈRE. Pauvre Nolasque, va ! Tu es bien bon de venir m'aider à porter ma croix.

NOLASQUE, *franc comme l'or*. C'est un plaisir pour moi, ma tante.

LA MÈRE. Que ça fait donc chaud au cœur, dans les malheurs de la vie, de voir apparaître une soutane ! Pas vrai, Noëlla ?

NOËLLA, *qui s'est approchée*. Vous ne voulez pas vous coucher un peu ? Ça vous ferait du bien.

LA MÈRE, *se laisse étendre sur le lit*. Je suis aussi inquiète dans une position que dans l'autre.

NOLASQUE. À propos, ma tante, je vous ai apporté un petit cadeau qui vous encouragera.

LA MÈRE. Oui ? *(Tendant une main molle.)* Montre donc, voir.

NOLASQUE, *a sorti l'objet de sa poche*. C'est une médaille de saint Jude, patron des causes désespérées.

LA MÈRE, *laisse retomber sa main en gémissant*. Mets-la sur la commode, ça ne presse pas !

Noëlla vient de la salle de bain et applique un débarbouilloir humide sur le front de la mère.

LA MÈRE. Merci, ma bonne Noëlla. *(Noëlla disparaît dans la chambre voisine.)*

NOLASQUE. Si vous voulez, nous allons dire quelques invocations en son honneur.

LA MÈRE. Tu as confiance qu'Aimé va être acquitté, hein, mon Nolasque ?

NOLASQUE. Si c'est la sainte volonté de Dieu, oui, ma tante.

LA MÈRE, *dolente*. De bons catholiques comme nous autres, Il devrait être de notre bord, tu ne penses pas ?

NOLASQUE. Oui, ma tante. À moins qu'Il ne vous fasse la grâce de passer par le rude mais sanctifiant creuset de l'épreuve.

LA MÈRE. Dis pas ça !

NOLASQUE. Au cas où cela se produirait, demandez-Lui la force de faire votre sacrifice, en chrétienne exemplaire que vous êtes.

LA MÈRE. Aujourd'hui, j'en ai pas le courage.

NOLASQUE. Souvenez-vous du saint homme Job, ma tante. « Dieu m'avait tout donné », disait-il dans sa misère…

LA MÈRE. Ça fait déjà quatre mois que je suis montée sur le tas de fumier !

NOLASQUE, *poursuit, impitoyable*. Dimanche dernier justement, le révérend père aumônier nous rappelait le bel exemple de résignation évangélique de saint Agésilas de Corinthe…

LA MÈRE, *qui redoute le pire*. Qu'est-ce qu'il a fait encore, celui-là ?

NOLASQUE. Sans se plaindre une seule fois, il a croupi pendant trente-sept ans dans un cachot humide…

LA MÈRE, *geint*. Bonne sainte Anne, secourez-moi !

NOLASQUE. … Pour avoir enfin la consolation suprême de décrocher la palme du martyre en étant décapité. *(Sur un dernier gémissement de la mère.)* Son corps vénéré fut jeté sur la place publique et dévoré par…

DEUXIÈME ACTE

Au lever du rideau, Noëlla est au téléphone.

NOËLLA. Entendu... À peu près dans cinq minutes, alors ? Appelle d'en bas quand tu arriveras, je descendrai tout de suite... Écoute, Albert : en cours de route avec Colette, il ne sera pas question du procès, veux-tu ? Aussi bien parler d'autre chose pour tâcher de l'égayer. De même, à la maison ce soir, sois gentil et aide-moi à éviter le sujet devant papa et maman... Merci... Je ne sais pas s'il viendra, je l'inviterai de votre part. À tout à l'heure. *(Elle raccroche, comme Bousille entre, essoufflé.)* Allô, Bousille !

BOUSILLE. Les autres ne sont pas arrivés ?

NOËLLA. Pas encore.

BOUSILLE. Tant mieux ! J'ai laissé Aurore et sa mère à l'église. J'aurais voulu faire un chemin de croix, moi aussi, mais je craignais de manquer l'avocat.

NOËLLA. Rassure-toi : il est seulement six heures moins cinq, alors que le rendez-vous a été fixé à six heures et demie.

BOUSILLE. Sais-tu si Colette vient toujours ?

NOËLLA. J'attends mon frère, qui me conduira chez elle et nous ramènera ensemble.

BOUSILLE. Tu dois avoir hâte de la revoir ?

NOËLLA. Ce sera notre première rencontre depuis la mort de Bruno.

BOUSILLE. Lui aussi, il était sympathique.

NOËLLA. Un excellent garçon, oui.

BOUSILLE. Sa mère doit avoir du chagrin.

NOËLLA. D'autant plus qu'il la faisait vivre. *(Autant par sympathie que pour parler d'autre chose, elle remarque que Bousille a l'index droit enveloppé d'un mouchoir plus ou moins propre.)* Tu t'es coupé, toi ?

BOUSILLE. Je suis un peu gêné de le dire : il y a un magasin d'animaux, ici pas loin. Comme je m'ennuyais de notre Fido, je suis entré, deux secondes, pour flatter un des chiens. J'ai dû mal m'y prendre : il m'a mordu le doigt.

NOËLLA. Montre-le-moi.

BOUSILLE, *déroulant son mouchoir.* Ce n'est pas sa faute ; le vendeur prétend que c'est une race de chiens qui viennent au monde avec un mauvais caractère.

NOËLLA, *qui examine le doigt.* Il vaudrait mieux le désinfecter. Veux-tu que je te fasse un petit pansement ?

BOUSILLE. As-tu ce qu'il faut ?

NOËLLA. Une vieille habitude de garde-malade. *(Elle sort une petite trousse de l'un des sacs.)* En voyage, j'emporte toujours de quoi soigner les bobos ; tu vois que ça peut servir.

BOUSILLE. C'est une habitude qui a déjà fait ton bonheur.

NOËLLA. Comment ça ?

BOUSILLE. Eh ! oui : tu viens à Saint-Tite passer un dimanche chez Colette. Aimé te présente son frère, qui s'est écorché la main en travaillant sur son bulldozer ; tu sors ta trousse de secours : la première chose que vous savez, vous êtes fiancés, Henri et toi.

NOËLLA, *un instant songeuse.* Ça s'est fait bien vite, oui... Donne ton doigt. *(Elle badigeonne de teinture diode l'index de Bousille, qui ne peut réprimer un petit réflexe.)* Ça pince un peu ?

BOUSILLE. Que je suis donc faible devant la souffrance corporelle, moi !

NOËLLA. Ce n'est pas Fido qui t'aurait mordu.

BOUSILLE. Non, certain !

NOËLLA. Il est tellement sans malice, pauvre lui.

BOUSILLE. Tu le battrais qu'il ne t'en voudrait même pas.

NOËLLA. C'est un bon chien, pour sûr.

BOUSILLE. Il n'est pas beau, il n'est peut-être pas très intelligent non plus...

NOËLLA. ... Mais il a un cœur d'or.

BOUSILLE. Là tu dis vrai ! L'autre soir, Aurore avait fait des saucisses pour le repas. Comme il avait faim, lui aussi, je lui ai donné la moitié de la mienne. Cinq minutes plus tard, crois-le ou non, il vient me déposer un os sur les genoux ! Comme geste de reconnaissance, pas un chien de race n'aurait pu trouver mieux.

NOËLLA. Fido est sûrement exceptionnel.

BOUSILLE. Moi, je trouve que la famille ne l'apprécie pas toujours à sa juste valeur.

NOËLLA. Je suis bien de ton avis. *(Elle a terminé le pansement.)* C'est tout : il n'y a plus de danger.

BOUSILLE. Merci, Noëlla.

NOËLLA. Tu vas perdre un bouton : enlève ton veston que je le recouse.

BOUSILLE, *qui s'exécute.* Je ne suis pas très chic en dessous.

NOËLLA, *replaçant les médicaments dans sa trousse.* Les pilules que le médecin t'a données, tu les prends toujours ?

BOUSILLE. Aussi souvent que le cœur me cogne un peu fort.

NOËLLA. Continue, tu vivras cent ans. *(Elle a échangé, dans un sac, la trousse pour un petit nécessaire à couture.)*

BOUSILLE. C'est drôle... Tu me fais du bien, toi, chaque fois que je t'approche.

NOËLLA. Il est naturel de s'intéresser à un excellent garçon comme toi.

BOUSILLE. Je ne suis pas aussi... excellent que tu le penses. On voit que tu viens d'entrer dans la famille. Autrement, tu saurais que je me suis adonné au vice de l'ivrognerie pendant sept mois et deux semaines.

NOËLLA. C'était pour boire avec Aimé que tu l'accompagnais si souvent dans ses sorties ?

BOUSILLE. Non. Pas au début, du moins. Non, à vrai dire, je le suivais pour une raison bien égoïste : moi, je m'ennuie au possible quand je ne rends service à personne.

NOËLLA. Et avec lui tu te sentais utile ?

BOUSILLE. Ça tranquillisait sa mère de savoir que je serais là pour ramener l'auto à la maison, si Aimé...

NOËLLA. ... s'enivrait ?

BOUSILLE. Oui. Remarque qu'elle n'avait pas toujours raison de s'inquiéter. Surtout les soirs où il manquait d'argent.

NOËLLA. Si je comprends bien, c'est lui qui t'a appris à boire ?

BOUSILLE. Vois-tu, j'ai commencé à le suivre pendant l'été, il y a deux ans. Aussi longtemps qu'il a fait doux, c'était facile pour moi de l'attendre dans l'auto. Mais quand le froid est arrivé, j'entrais dans le bar me dégeler les pieds de temps en temps. Il me criait : « Viens te réchauffer, Bousille ! » Et il me faisait gober deux ou trois verres, coup sur coup.

NOËLLA. Mais pourquoi ?

BOUSILLE. Apparemment, ça l'amusait de me dire de monter sur le comptoir et de danser une gigue, quand je ne savais plus trop ce qui m'arrivait.

NOËLLA. Et je suppose qu'à jouer pareil jeu tu t'es rendu compte, un beau jour, que tu ne pouvais plus te passer de boire ?

BOUSILLE. Ça s'est fait en moins d'un mois. Il faut croire que j'avais le goût de la bouteille dans le sang… à cause de mon père, qui l'a aimée toute sa vie.

NOËLLA. Tu devais être bien malheureux.

BOUSILLE. Je ne peux pas le dire assez. Ma grande peur, c'était de mourir fou, comme lui. D'autant plus que je perdais complètement la boule, dès que j'avais bu un peu trop. Il me semblait que des diables épouvantables voulaient m'attraper : je me sauvais à travers le village, comme un échappé de l'asile.

NOËLLA. Quelle misère !

BOUSILLE. Ah ! je te l'assure, Noëlla : j'aimerais mieux crever que de retomber là-dedans.

NOËLLA. Comment es-tu sorti de cet enfer ?

BOUSILLE. Heureusement qu'un soir où j'étais hors d'état de prendre le volant à sa place, Aimé a écrasé l'auto contre un arbre, deux milles avant Saint-Tite. Il s'en est tiré, lui, avec une bosse sur le front, mais moi, j'ai passé six semaines le genou dans le plâtre, la jambe suspendue au plafond. C'est ce qui a été ma chance.

NOËLLA. Ta chance ?

BOUSILLE. Eh oui ! Sans cet accident-là, je n'aurais peut-être jamais connu le père Anselme : c'est lui, figure-toi, qui m'a sorti de cet enfer, comme tu dis.

NOËLLA. Non !

BOUSILLE. Il est venu me voir tous les jours pendant le temps que j'ai passé à l'hôpital pour mon genou. Un vrai saint : il a tellement la foi, cet homme-là ! On dirait qu'il te magnétise quand il te parle.

NOËLLA. Tu lui as exposé ton problème ?

BOUSILLE. D'un bout à l'autre. Il m'a demandé : « Voudrais-tu cesser de boire ? » J'ai répondu : « Oui, je le voudrais, je ne peux pas le dire assez ! Mais c'est plus fort que moi : je suis toujours à quatre pattes. » Il a admis : « Oui, c'est vrai, la tentation de boire est plus forte que toi, parce que tu es seul à lutter contre elle. » Et là il m'a prouvé, de toutes les façons imaginables, que si je demandais à Dieu – qui est infiniment puissant – de combattre avec moi, jamais au grand jamais le démon de la bouteille ne pourrait venir à bout de nous deux. Pas vrai ?

NOËLLA. Aucun doute possible.

BOUSILLE. J'ai fait ce qu'il m'a dit : je me suis réfugié dans la main de Dieu.

NOËLLA. Et tu n'as jamais été tenté depuis ?

BOUSILLE. Souvent. Presque chaque fois que Phil me donne un peu d'argent. Mais je ne m'inquiète pas.

NOËLLA. Moi non plus : je suis sûre que tu résisteras toujours.

BOUSILLE. Forcément ; le père Anselme me l'a garanti : « Aussi longtemps que tu ne Lui feras pas de gaffe, sois tranquille, le bon Dieu ne te laissera pas tomber, Lui. Il ne te laissera pas tomber, je te le garantis ! » Et il me le répète chaque fois que je le vois.

NOËLLA. Si jamais je fais sa connaissance, à ton bon père Anselme, je lui donne un beau *bec* sur chaque joue ! En attendant, remets ton veston. *(Elle l'a brossé après avoir recousu le bouton.)*

BOUSILLE, *l'endossant.* C'est pourquoi j'ai tellement peur de me tromper en témoignant demain : s'il fallait que j'oublie quelque chose, après avoir juré de dire toute la vérité ! Ce serait une jolie gaffe à faire au bon Dieu. Son deuxième commandement ! Trois avant celui où Il nous défend de tuer. Il me laisserait retomber dans mon vice, sûr et certain.

Le téléphone a sonné.

NOËLLA, *au téléphone.* Oui ?... Entendu, je descends tout de suite. *(Elle raccroche.)*

BOUSILLE. Et si jamais ce malheur-là m'arrivait, je te le répète, Noëlla : j'aimerais mieux mourir.

NOËLLA, *se préparant à sortir.* Tu te tracasses pour rien.

Phil entre, suivi d'Henri. Il a sous le bras une bouteille dans un long sac de papier brun.

PHIL, *annonce.* Réjouissez-vous, les enfants : papa vous apporte une belle bouteille de gin ! *(Il dépose la bouteille sur le bureau et va droit au téléphone.)*

HENRI, *à Noëlla.* Comment ! Tu es encore là, toi ?

NOËLLA. Je partais justement : Albert m'attend dans le hall.

HENRI. Grouille-toi, bon Dieu ! L'avocat s'amène dans vingt minutes.

NOËLLA. Rassure-toi : je serai de retour avec Colette à six heures et demie, comme prévu.

PHIL, *impatient, au téléphone.* Allô !

NOËLLA, *au moment de sortir.* Maman nous invite pour la soirée : viendras-tu ?

HENRI, *sèchement, tout en fouillant dans un des sacs.* Non.

NOËLLA. À ta guise, j'irai seule. *(Elle sort.)*

PHIL, *au téléphone.* Bonjour, belle noire ! Un bol de glace et trois bouteilles de soda. Cette année si possible, à la chambre royale 312... Merci. *(Il raccroche.)*

BOUSILLE, *à Henri.* Comme ça, l'avocat va venir, c'est sûr ?

HENRI. Oui. Tu seras ici ?

BOUSILLE. Compte sur moi.

HENRI, *à Phil.* As-tu apporté une chemise propre, toi ?

PHIL. Oui. Pourquoi ?

HENRI. Passe-la-moi : je suis tout en nage.

PHIL, *la prenant dans un des sacs.* C'est que… je voulais me mettre sur mon trente-six pour la soirée, moi aussi.

HENRI. Amène ! *(Il la lui arrache presque des mains et va l'endosser dans l'autre chambre.)*

BOUSILLE. Phil, penses-tu que le procès a bien marché aujourd'hui ?

PHIL. Je te répondrai après la sentence.

BOUSILLE. Les membres du jury ont de bonnes figures honnêtes, pas vrai ?

PHIL. Oui. Elles font un beau contraste avec celle du juge. *(Il enlève son veston et desserre sa cravate.)*

BOUSILLE. Ce qui m'a le plus rassuré, moi, ç'a été de voir Aimé si calme, toute la journée.

PHIL, *baissant la voix pour qu'Henri n'entende pas.* Pas d'erreur, le bluff, ça le connaît.

BOUSILLE. Je voudrais bien être aussi à l'aise que lui quand le moment viendra pour moi de vider mon sac devant le juge.

PHIL. C'est toujours demain que tu es… présenté à la Cour ?

BOUSILLE. À la première heure, oui ; Aurore aurait entendu l'avocat le dire à Henri.

PHIL. Le temps doit te sembler long ?

BOUSILLE. Ça m'énerve au possible.

PHIL. C'est simple : dis la vérité. Tu témoignes, tu ne fais pas un discours électoral. *(Il entre dans la salle de bain.)*

BOUSILLE. Blague tant que tu voudras, mais moi, je vais te donner une preuve écrasante qu'un serment sur l'Évangile, on fait mieux de prendre ça au sérieux. Notre voisin de gauche, l'année avant qu'on vienne habiter au village et que j'entre à la petite école... Un homme parfaitement honnête jusque-là...

PHIL. Vite ! Dis-moi ce qui est arrivé : tu me fais languir.

BOUSILLE. Une journée d'élection, l'organisateur d'un des candidats lui promet cinq *piastres* pour aller à Shawinigan voter à la place d'un homme qui était mort depuis plus d'un an.

PHIL. Encore une élection volée !

BOUSILLE. Écoute, une petite minute : c'est sérieux. Alors il se présente au bureau de vote ; le scrutateur le...

PHIL. ... le scrute de travers.

BOUSILLE. Oui, prétend qu'il y a du louche là-dedans...

PHIL. Quelqu'un de l'autre parti était peut-être passé avant lui.

BOUSILLE. Peut-être, oui. Toujours est-il que mon pauvre gars se trouve coincé : pas moyen de voter sans se faire assermenter.

PHIL, *le fait marcher*. Quelle horreur !

BOUSILLE. Soit qu'il ait eu peur de se faire arrêter, soit qu'il n'ait pas voulu perdre les cinq *piastres*, il a crié devant tout le monde : « Amenez-le, votre Évangile, je vais vous le prouver, moi, que j'ai le droit de voter ! »

PHIL. Il a juré ?

BOUSILLE. Oui, mon vieux.

PHIL. Doux Jésus !

BOUSILLE. Eh bien ! crois-moi si tu veux, le même gars, pas plus tard que trois jours après, en faisant son bois de chauffage… la main droite qu'il avait mise sur l'Évangile, après avoir juré – sur la parole même du Christ – de dire toute la vérité, clic ! dans les dents de la scie.

PHIL. Aïe ! Aïe ! maman !

BOUSILLE. J'étais en train de jouer dans le sable, à côté de la maison, quand je l'ai vu – comme je te vois – arriver chez nous en se tenant le moignon et en criant comme un possédé : « Le bon Dieu m'a puni ! le bon Dieu m'a puni ! » Le sang coulait partout. C'est mon père qui lui a fait un tourniquet et qui l'a conduit chez le docteur à bride abattue.

PHIL. Pauvre garçon ! Obligé de se boutonner de la main gauche pour le reste de ses jours !

BOUSILLE. Je peux bien te l'avouer après tout, même si j'ai un peu honte : ce gars-là, c'était mon oncle Odilon, le frère de ma mère.

PHIL. Il me semblait, aussi, que tu devais avoir des ancêtres de qualité !

BOUSILLE. Heureusement que ma mère était morte depuis deux ans : l'affaire l'aurait bien affectée. Moi, j'avais à peine six ans, mais je m'en souviens comme si c'était hier. J'ai passé des mois à rêver à du sang qui coulait partout. Je criais en pleine nuit : il fallait que ma grand-mère vienne me réveiller. C'est l'année suivante que j'ai fait de la danse de Saint-Guy. *(Il murmure, obsédé de nouveau.)* Il courait, en criant : « Le bon Dieu m'a puni ! Le bon Dieu m'a puni ! »

PHIL. Confidence pour confidence, mon Bousille, je la connaissais, ta petite histoire effrayante.

BOUSILLE. Oui ?

HENRI, *qui est revenu de la chambre voisine.* Bien sûr qu'on la sait, l'histoire d'Odilon Main Coupée : il l'a braillée dans toutes les tavernes du comté pendant vingt ans.

On frappe à la porte.

BOUSILLE. Ce doit être l'avocat qui arrive.
PHIL. Entrez !

Entre le garçon avec la glace et les bouteilles.

PHIL. V'là ce que j'attendais, la langue sortie ! *(Il donne un pourboire au garçon.)* Tiens, le jeune.
LE GARÇON. Merci, m'sieur. *(Il sort.)*
PHIL, *offrant un verre à Bousille.* Tu refuses toujours de pratiquer notre sport national ?
BOUSILLE, *qui ne comprend que le geste.* Non, merci.
PHIL. Prends garde de te laisser rouiller trop longtemps ! Dommage que tu aies abandonné ça, toi : pour une recrue de six mois, tu te tirais d'affaire comme un champion.
BOUSILLE. Heureusement que le père Anselme m'a sorti de cette misère-là.
PHIL, *comme Henri reparaît, lui tend un verre.* À la santé du père Anselme !
BOUSILLE. Si ça t'intéresse, je peux te le présenter.
PHIL, *qui vient de prendre une gorgée.* Merci bien ! Je suis heureux comme ça. Mais... blague à part : remets-toi jamais le nez là-dedans, mon Bousille. C'est mieux pour ta santé.
BOUSILLE. D'autant plus que le père Anselme m'a bien prévenu : il pourrait suffire que je me

trempe simplement les lèvres dans la boisson pour que tout reparte comme avant.

HENRI, *dépose son verre.* Je retourne chercher l'avocat. *(Il sort.)*

PHIL. Bon voyage ! *(À Bousille.)* Dis donc : la belle-mère a toujours l'intention d'aller passer la nuit à Saint-Tite ?

BOUSILLE. Plus que jamais.

PHIL. Aurore aussi ?

BOUSILLE. Elle a parlé d'aller voir aux enfants, oui.

PHIL. Merci, petit Jésus !

BOUSILLE. Y vas-tu, toi ?

PHIL. Non, m'sieur. J'ai d'autres projets personnels pour ce soir.

BOUSILLE. Moi, je suis toujours prêt à les conduire là-bas.

PHIL. Tu es un bon petit garçon. À propos, as-tu pensé à faire réparer le pneu qui a crevé ce matin ? *(Il a sorti de sa poche un calepin qu'il consulte.)*

BOUSILLE. Euh... non.

PHIL. Qu'est-ce que tu attends pour y aller ?

BOUSILLE. J'ai peur de manquer l'avocat.

PHIL. Bah ! Il ne sera pas ici avant une demi-heure. Les avocats sont toujours en retard. *(Au téléphone.)* Clairval 4-8367, s'il vous plaît.

BOUSILLE. D'accord, mais s'il arrive avant que je revienne...

PHIL. Fiche-moi la paix, comprends-tu ? Il faut que je téléphone confidentiellement à la présidente des Enfants de Marie.

BOUSILLE. Bon. *(Il se dirige vers la porte sans trop comprendre.)*

PHIL, *au téléphone.* Allô, ma chouette !

Bousille, qui sortait, a une réaction de surprise.

PHIL, *continue, au téléphone.* Voyons donc ! C'est ton gros loup noir... Phil... Phil Vezeau, de Saint-Tite... Tu as les jambes longues mais la mémoire courte !... Bon, il me semblait aussi !... Bien sûr, l'amnésie court les rues de nos jours... Ah ! je suis heureux que tu me contes cette menterie-là... Oui : je passe la soirée tout seul en ville et j'ai peur d'avoir des mauvaises pensées en regardant la télévision. Aurais-tu de la place pour moi dans ton petit intérieur parfumé ?... Chère belle crotte, va ! Disons vers neuf heures... Inutile d'inviter ton père et ta mère, hein ?...

AURORE, *ouvre la porte et crie.* Phil ! Viens m'aider : maman a eu une faiblesse dans l'ascenseur ! *(Elle retourne dans le corridor en vitesse.)*

PHIL, *termine rapidement son téléphone.* Je suis obligé de raccrocher... À neuf heures !

LA MÈRE, *entre, soutenue par Aurore et le garçon.* Lâchez-moi : ça va mieux.

AURORE. Je vous avais dit, aussi, de rester tranquille cet après-midi !

PHIL. Qu'est-ce qui cloche, la belle-mère ?

AURORE, *lui enlevant son manteau.* On dirait que vous faites exprès pour vous mettre les nerfs à l'envers ! Je vous préviens : j'appelle le docteur si vous continuez.

LA MÈRE. Je n'ai pas besoin du docteur.

AURORE, *pendant que la mère entre dans la salle de bain.* Je ne tiens pas à ce que vous me piquiez une crise, comme il y a deux mois. On a déjà assez d'énervement !

PHIL. Prends-en ton parti : elle en a encore pour au moins vingt ans à agoniser comme ça.

AURORE. Je me demande s'il serait prudent pour elle d'aller coucher à Saint-Tite.

PHIL. Bien certain ! Pourvu que tu fasses le voyage avec elle, il n'y a pas de danger.

AURORE. Ça ne me tente pas fort. Seulement...

PHIL. ... il y a les enfants. C'est bien beau de s'occuper de ton frère, mais il ne faudrait pas oublier nos devoirs de parents chrétiens.

AURORE. Tu viens, toi aussi ?

PHIL. Eh non ! J'étais justement en train de téléphoner à Antoine Major quand tu es entrée : je pense qu'il est mûr pour changer de camion. Si je pouvais lui en placer un neuf, ça tomberait à point, avec les dépenses du procès.

AURORE. Tu n'en profiteras pas pour *courir la galipote*, j'espère ?

PHIL. Penses-tu ? On a trop besoin de la Providence, ces jours-ci.

AURORE, *éclate*. Oui, on en a besoin ! Si jamais on a été pris comme des rats dans une trappe, c'est bien aujourd'hui !

PHIL. Je ne dirais pas ça, moi.

AURORE. S'il fallait, mon Dieu, s'il fallait !

LA MÈRE, *sortant de la salle de bain*. Ça va mieux. Je me demande ce qui m'est arrivé tout à l'heure.

AURORE. Quand on pense que, depuis des années, les Grenon font des pieds et des mains pour entrer la tête haute à l'église le dimanche et qu'il s'en vient nous fourrer dans ce pétrin-là, lui, le grand bêta !

LA MÈRE. Tu sais bien que ce n'est pas sa faute, pauvre petit garçon.

AURORE. Peut-être, oui. Étant donné qu'un arbre mal planté court un grand risque de pousser de travers.

LA MÈRE. Ne recommence pas, Aurore !

AURORE. Vous lui avez tout passé, à lui, le petit chouchou, pendant que les plus vieux de la famille ont été élevés comme des chiens attachés !

LA MÈRE. Quand ton père vivait...

AURORE. Quand papa vivait, il s'occupait de nous seulement pour s'arracher la ceinture de la taille et nous la rabattre sur la tête à tour de bras. Mais j'aurais bien voulu voir celui qui aurait eu l'audace de toucher à Aimé !

LA MÈRE. Il est arrivé cinq ans après vous autres, pauvre petit.

AURORE. Ce n'était pas une raison pour le pourrir jusqu'à la moelle, en tombant à genoux devant lui comme s'il avait été le petit Jésus de Prague.

LA MÈRE. Aimé, c'est un bon petit garçon, tu ne peux pas dire le contraire.

AURORE, *désignant la photo.* Cessez donc de le voir avec son brassard de première communion : il l'a ôté depuis quinze ans !

LA MÈRE. C'est ça : rangez-vous tous contre lui, comme s'il n'était pas déjà assez éprouvé !

AURORE. On n'est pas contre lui. C'est notre frère : bien sûr qu'il faut tout faire pour le tirer de là. On n'a pas le choix. *(Tempêtant.)* Parce que s'il est condamné...

LA MÈRE. Dis pas ça : tu me fais mourir ! *(Elle va en pleurant s'enfermer dans l'autre chambre.)*

AURORE. S'il est condamné, c'est bien simple, je déménage et je ne remets plus jamais les pieds à Saint-Tite ! Je n'ai pas envie de voir les enfants revenir de l'école en pleurant.

PHIL, *intervient, son verre à la main*. Écoute, Aurore : tu t'énerves pour un rien. L'avocat l'a dit ce matin : il n'y a pas lieu de s'inquiéter !

Henri est entré pendant la dernière réplique.

HENRI. Fermez vos gueules, bon Dieu ! On vous entend jusqu'au fond du corridor.

PHIL. Fermons le vasistas, ce sera plus facile. *(Ce qu'il fait.)*

AURORE. Tu n'es pas avec l'avocat ?

HENRI. Il monte derrière moi. Le temps de ranger sa voiture.

AURORE. Il aurait été plus poli de l'attendre.

HENRI. Je le sais aussi bien que toi, mais je voulais voir si Colette était arrivée.

PHIL. Pas encore. *(Lui offrant un verre.)* As-tu soif ?

HENRI. Non, merci. *(Préoccupé.)* Elle ferait mieux de se montrer le museau, elle !

AURORE. Il se pourrait qu'elle nous laisse poireauter.

PHIL. Bah ! Noëlla trouvera bien le moyen de l'amener : elle aussi, elle a une tête de pioche.

On frappe à la porte.

AURORE. C'est lui ! *(Elle met de l'ordre en vitesse dans la pièce.)*

HENRI, *qui est allé ouvrir*. Entrez. Faites comme chez vous.

L'AVOCAT, *entrant, sa serviette à la main.* Merci.

HENRI. Colette Marcoux sera ici d'une minute à l'autre : ma femme est allée la chercher.

PHIL. Quant à Bousille, je l'ai envoyé faire une commission, mais vous allez le voir revenir au galop : je n'ai jamais vu quelqu'un aimer les avocats comme lui.

AURORE, *qui s'est approchée.* Bonjour, monsieur Lacroix.

L'AVOCAT. Bonjour, madame.

AURORE, *à Henri.* Maman s'est trouvée mal, tout à l'heure.

HENRI. Encore !

L'AVOCAT. Rien de grave, j'espère ?

PHIL. Quand elle s'énerve, sa pression monte, la soupape colle et elle tombe dans les pommes.

AURORE. Elle se fait du mauvais sang pour Aimé, vous comprenez.

L'AVOCAT. Elle a tort de s'inquiéter à ce point-là.

PHIL. Oui, parce que... il me semble que tout a bien marché, aujourd'hui ?

L'AVOCAT. Aujourd'hui, il s'agissait surtout de procédure courante.

PHIL. C'est demain que la vraie bataille commence !

HENRI. Êtes-vous encore d'avis que vous pourrez obtenir un acquittement ?

L'AVOCAT. Je garde toujours ma conviction de ce matin.

AURORE. Allez donc répéter ça à maman, pour l'encourager.

L'AVOCAT. Avec plaisir. *(Il suit Henri dans la chambre voisine. On entendra leurs voix par la porte ouverte.)*

PHIL, *qui tète son verre*. Moi, Aurore, j'ai le pressentiment qu'on va gagner haut la main.

AURORE. Évidemment, vous autres les hommes, avec un petit verre dans le nez, il vous est bien facile de voir la vie en rose !

Le téléphone a sonné.

PHIL, *répondant*. Allô !... Oui, Noëlla... Montez, l'avocat vous attend. *(Il raccroche.)* Colette est en bas.

AURORE, *nerveusement*. Faisons une promesse pour que tout se passe bien.

PHIL. Cesse, avec tes promesses, toi : j'en ai déjà pour sept ans à faire pénitence.

AURORE. Et tâchons d'être aimables avec elle, la petite garce, pour qu'elle nous fasse le moins de vacheries possible.

HENRI, *qui a ouvert la porte et jeté un coup d'œil dans le corridor*. La v'là !

AURORE, *à l'avocat, qui revient de l'autre chambre*. C'est elle ! Pour l'amadouer, dites-lui qu'Aimé s'informe d'elle à tout bout de champ.

HENRI, *dans le corridor*. Bonjour, Colette.

Colette passe devant lui sans répondre et entre, suivie de Noëlla. Elle est en proie à une grande tension nerveuse, qu'elle cherche à maîtriser.

AURORE, *tout miel*. Bonjour, ma belle Colette ! Bonjour ou bonsoir : à cette heure-ci, on ne sait jamais ce qu'on doit dire. Donne-moi ton manteau.

COLETTE, *froidement*. Non, merci : je ne resterai pas plus longtemps que nécessaire.

HENRI. Colette, je te présente monsieur l'avocat Lacroix.

L'AVOCAT, *la saluant*. Mademoiselle.

Colette murmure une vague salutation.

AURORE. Monsieur l'avocat nous apprenait justement qu'Aimé s'informe de toi aussi souvent qu'il en a l'occasion. Il te fait dire qu'il a bien hâte de te revoir.

COLETTE. À supposer que ce soit vrai, je m'en fiche. En ce qui me concerne, je souhaite de ne jamais lui revoir la face !

LA MÈRE, *qui marche sur ses bas, accourt de la chambre voisine et se jette dans les bras de Colette*. Colette, ma belle Colette ! C'est bien épouvantable, hein ? Ce que tu dois souffrir, toi aussi ! Toi qui l'aimais tant. On va tâcher de le sauver ensemble.

HENRI, *intervient*. Maman, il faut vous reposer, si vous voulez aller coucher à Saint-Tite.

AURORE, *la repousse vers l'autre chambre*. Et fermez votre appareil, pour qu'on vous dérange le moins possible.

LA MÈRE. D'accord, mais avertissez-moi à sept heures pour le chapelet à la radio.

AURORE. Promis.

LA MÈRE, *au moment de disparaître*. On le dira en famille, hein, ma belle Colette ?

Aurore referme la porte derrière la mère.

L'AVOCAT. Asseyez-vous, mademoiselle.

Elle s'assoit.

PHIL. Une cigarette, Colette ?
COLETTE. Non, merci.
L'AVOCAT. Mademoiselle Marcoux, je tiens d'abord à vous remercier pour l'entrevue que vous voulez bien m'accorder.
COLETTE. Il n'y a pas de quoi.
L'AVOCAT. La connaissance, même sommaire, du témoignage que vous porterez demain m'aidera sûrement à mieux servir les intérêts de l'accusé et par conséquent...
COLETTE. Disons que cela servira les intérêts de la justice tout court.
L'AVOCAT. C'est ce que j'allais ajouter. Si vous préférez que nous soyons seuls, vous et moi, je peux demander à ceux qui sont ici présents de se retirer.
COLETTE. Qu'ils sortent ou non, ça m'est égal : ce que j'ai à dire, je le dirais devant n'importe qui. Mais allez-y au plus tôt, qu'on en finisse.
L'AVOCAT, *qui consulte un dossier*. Je constate ici que votre assignation vous a été signifiée à Montréal, aux soins de monsieur Jean-Paul...
COLETTE. C'est mon frère.
L'AVOCAT. Mais, si mes renseignements sont exacts, au moment de l'accident vous étiez à l'emploi du restaurant Astoria à Saint-Tite ?
COLETTE. Oui.
PHIL, *qui n'échappe jamais à la tentation de blaguer pour assainir l'atmosphère*. Inutile de le dire : comme serveuse, elle vous ouvrait l'appétit !

L'AVOCAT. Monsieur Grenon était votre ami depuis déjà assez longtemps, n'est-ce pas ?

AURORE, *la devance.* Tu as connu Aimé dès ton arrivée dans le village, pas vrai, Colette ? *(À l'avocat.)* Il y aura deux ans à la Toussaint.

L'AVOCAT. Et durant ces deux ans, il vous a courtisée d'une façon continue ?

COLETTE. Courtiser, c'est un bien grand mot.

L'AVOCAT. En somme, personne n'ignorait dans votre entourage que ses intentions pour vous étaient sérieuses.

COLETTE. Tous les autres garçons savaient, oui, que j'étais son petit défense-d'y-toucher-que-je-m'en-serve-ou-non ! C'est tout.

L'AVOCAT. Pourrait-on dire que vous étiez, de cœur sinon de fait, fiancés l'un à l'autre ?

COLETTE. N'importe qui a le droit de dire une bêtise.

AURORE, *intervient.* Vous ne l'étiez pas, non, mais je mettrais ma main au feu qu'il avait l'intention de tirer l'affaire au clair prochainement.

COLETTE, *entre ses dents.* Va donc te secouer les puces !

AURORE. Il ne t'a jamais donné de bague de fiançailles, c'est vrai, mais entre nous, Colette, tu devras bien admettre qu'Aimé et toi...

COLETTE, *la coupe.* Il y a des choses qui fiancent plus un garçon et une fille qu'une bague de quatre *piastres*, bien sûr ! Vu de cet angle-là, tu as raison, on était fiancés des pieds jusqu'au cou : juste la tête qui dépassait. Le cœur avec.

L'AVOCAT, *un peu décontenancé, essaie de reprendre le fil de son questionnaire.* Est-ce que, même vaguement, il avait déjà été question de mariage entre vous deux ?

COLETTE. Écoutez, monsieur Lacroix : vous m'avez l'air d'un avocat qui n'a pas de temps à perdre. Si quelqu'un – ici ou ailleurs – a essayé de vous faire croire qu'Aimé et moi formions un couple d'amoureux idéal, détrompez-vous : Roméo et Juliette avaient leur façon à eux de se passer la main dans les cheveux ; nous, nous avions la nôtre, différente au possible. À mon grand regret, laissez-moi vous le dire.

AURORE. En tout cas, si tu l'avais dans le nez, toi, il t'aimait, lui... comme un fou !

COLETTE. S'il m'adorait comme tu le prétends, il a raté une belle occasion de me le prouver l'an dernier, quand il a eu la frousse en pensant que notre union avait été « bénie ». Au lieu de mettre les bans à l'église, monsieur a préféré me faire saigner du nez parce que je refusais d'aller passer quelques jours à Montréal, histoire de prendre la voie d'évitement. Heureusement qu'il s'agissait d'une fausse joie !

HENRI. As-tu des preuves de ce que tu avances ?

COLETTE. Non, je n'en ai pas... Excepté l'enveloppe qu'Aimé m'avait glissée de force dans le corsage et qui portait, écrite de ta plus belle main, l'adresse de la bonne femme que je pouvais aller voir en toute sécurité.

AURORE. Pas nécessaire d'avoir inventé le bouton à quatre trous pour comprendre qu'il n'avait pas encore les moyens de faire vivre une femme.

COLETTE, *que les interventions de la famille crispent de plus en plus*. Bien sûr ! Pour faire vivre une femme, il faut sortir des buvettes et se trouver une place.

HENRI. Une place, il en avait une, comme tout le monde.

COLETTE, *à l'avocat, avec ironie*. Agent d'assurances, s'il vous plaît ! Une fois par deux mois, quand quelqu'un de la famille avait besoin d'une police. À condition de lui apporter les formules à signer sur la table de billard.

L'AVOCAT. Si je comprends bien, mademoiselle Marcoux, vous prétendez n'avoir jamais aimé l'accusé, en dépit du fait que, pendant deux ans...

COLETTE. Oui, j'ai eu le béguin pour lui. Avant de le connaître, oui. Comme toutes les filles qui le voyaient passer dans la décapotable jaune que son beau-frère ici présent lui avait vendue au prix du gros, grâce à l'argent de sa mère. Mais j'ai vite déchanté quand je me suis rendu compte qu'il n'était rien qu'un paresseux et un ivrogne, qui me raflait mes pourboires dans mon sac pour s'acheter une bouteille de whisky, chaque fois qu'il était sans le sou.

AURORE, *proteste*. Viens donc pas essayer de...

COLETTE. Un prétentieux et un jaloux, qui se croyait le Sheik d'Arabie, et qui était convaincu que j'aurais dû le remercier à genoux pour l'honneur de faire partie de son harem et de l'amuser quand il n'avait personne d'autre sous la main !

AURORE. Si tu le méprisais tellement, pourquoi continuer à faire la chatte autour de lui, au lieu de le planter là ?

COLETTE. Parce qu'il m'assommait de coups et de menaces chaque fois que j'en parlais ! Parce que j'avais peur de lui au point de ne pas en dormir la nuit, le sachant dangereux comme tous les jaloux de son espèce. Surtout quand il avait un verre dans le nez... Ce qui lui arrivait sept soirs par semaine.

HENRI. Colette, tu ferais mieux de prendre garde à ce que tu dis et de peser tes mots...

COLETTE, *au bord de la crise nerveuse.* Toi, fermetoi, ou je t'attrape, toi aussi ! Tu es sérieux au travail et tu ne te soûles pas plus souvent qu'à ton tour. Mais, en fait de brutalité, tu en as une croûte aussi épaisse que ton frère !

NOËLLA. Colette !

COLETTE, *s'arrête, décontenancée.* Excuse-moi, Noëlla... J'avais perdu la tête.

NOËLLA. Je te comprends.

COLETTE. Tu sais que pour rien au monde je ne voudrais te faire de la peine.

NOËLLA. Je le sais.

L'AVOCAT, *s'efforce de reprendre en main la situation.* Si vous le voulez bien, mademoiselle Marcoux, nous essaierons de nous en tenir aux faits.

COLETTE. D'accord, mais demandez aux autres de cesser de me contredire.

L'AVOCAT. J'allais le faire.

AURORE. C'est tout de même notre frère : il me semble qu'on a le droit de...

COLETTE. Toi, si tu veux témoigner, tu te feras entendre la crécelle devant le juge demain. Pour l'instant, c'est moi qui ai le crachoir. Et tienstoi-le pour dit. Autrement je claque la porte.

L'AVOCAT. Madame Vézeau comprend, j'en suis certain, qu'il y va de l'intérêt de l'accusé de...

AURORE. Si vous préférez que je m'en aille, pas besoin de vous gêner pour le dire.

COLETTE. Fais comme tu voudras. Quant à moi, je ne te retiens pas.

PHIL, *à Aurore.* Va donc voir si ta mère n'a pas besoin de toi.

AURORE, *passe dans l'autre chambre en bougonnant.* C'est trop choquant de se faire mentir au nez sans pouvoir…

L'AVOCAT, *le calme revenu.* Vous admettrez sans doute, mademoiselle Marcoux, que certaines choses qui se sont dites ici n'ont pas besoin d'être répétées demain devant le tribunal.

COLETTE. Je le sais, je ne suis pas folle.

L'AVOCAT. Elles ne profiteraient à personne, pas même à vous.

COLETTE. Si vous ne me questionnez pas là-dessus, je ne dirai rien.

L'AVOCAT. Vous pouvez compter sur moi.

La porte du fond s'ouvre : Bousille entre, à bout de souffle.

BOUSILLE, *apercevant l'avocat.* Bonjour, monsieur l'avocat… Je ne vous ai pas trop fait attendre, j'espère ?

L'AVOCAT. Pas du tout.

BOUSILLE, *énervé à Phil.* L'employé du garage n'arrivait pas à trouver le trou dans le pneu : je me faisais du mauvais sang. Figure-toi que c'était un petit clou gros comme un cheveu de bébé !

Phil lui fait signe de se taire, en désignant Colette.

BOUSILLE, *l'apercevant pour la première fois.* Bonjour, Colette. Ça va bien ? *(Il s'était déposé le coin d'une fesse sur une chaise mais se relève. À Phil.)* C'est bien vingt-six livres d'air qu'il fallait mettre dans le pneu, pas vrai ?

PHIL, *ennuyé.* Oui, oui.

BOUSILLE. Tout est prêt : l'auto est juste à côté de l'hôtel...

HENRI, *sec.* Oké, ferme-toi !

Bousille se rassoit, penaud, sa casquette à la main, et suivra goulûment l'interrogatoire de Colette.

L'AVOCAT. Je profite de l'interruption pour vous rappeler, mademoiselle Marcoux, que vous êtes assignée comme témoin de la poursuite, de même que monsieur... *(Il regarde Bousille, cherchant son nom.)*

BOUSILLE, *souffle.* Belzile.

L'AVOCAT. Merci. Moi-même, je ne vous questionnerai qu'en contre-interrogatoire et si je le juge à propos.

Aurore, c'est plus fort qu'elle, est revenue discrètement de l'autre chambre et écoute, appuyée au chambranle de la porte, qu'elle a refermée derrière elle.

L'AVOCAT, *après un court temps.* Bruno Maltais, la victime, vous le connaissiez depuis longtemps ?

COLETTE, *qui baisse la tête.* Je l'ai connu à Pâques, aux fiançailles de Noëlla.

L'AVOCAT. À Saint-Tite ?
COLETTE. Non, à Pont-Viau, chez ses parents à elle.

Une mélancolie l'envahira, qui fera contraste avec la dureté qu'elle avait mise à parler d'Aimé.

L'AVOCAT. Il vous a été tout simplement présenté ?
COLETTE. J'ai dansé avec lui presque toute la soirée.
L'AVOCAT. Aimé Grenon vous accompagnait-il à cette fête ?
COLETTE. C'est-à-dire qu'il accompagnait les hommes autour de la bouteille dans la cuisine.
L'AVOCAT. Il ne s'est pas opposé aux attentions que Bruno Maltais vous témoignait ?
COLETTE. Au milieu de la soirée, il est venu me dire, entre deux verres, de m'arrêter de danser.
L'AVOCAT. Vous êtes-vous rendue à sa demande ?
COLETTE. Non.
L'AVOCAT. Vous avez continué, sachant que votre conduite déplaisait à Aimé ?
COLETTE, *bouleversée*. C'était plus fort que moi. Pour la première fois de ma vie, j'étais traitée comme une princesse. Je pensais rêver. *(Elle étouffe un sanglot dans son mouchoir. Après un temps.)* Excusez-moi.
L'AVOCAT. Aimé vous a-t-il fait des reproches, après la soirée ?
COLETTE. Pas ce soir-là, non, pour une raison qu'Aurore pourra vous exposer aussi bien que moi.
AURORE, *mal à l'aise*. Ça arrive à n'importe qui d'être malade, à la fin d'une soirée de plaisir.
COLETTE. C'est-à-dire qu'il est revenu à Saint-Tite, couché ivre mort au fond de l'auto.

L'AVOCAT. Depuis cette date jusqu'à celle du mariage de monsieur et de madame Grenon, a-t-il été question de la victime entre Aimé et vous ?

COLETTE, *après une hésitation.* Si c'est important pour la cause, je répondrai. Autrement, je vous dirai que ça me regarde.

L'AVOCAT. Vous n'êtes pas tenue de répondre, évidemment, mais il est certain que tout signe de provocation est très important dans une cause comme celle-ci. Jusqu'à quel point les avances qu'un rival a pu vous faire ont-elles exaspéré l'accusé, voilà ce que j'essaie honnêtement de déterminer. Toute réticence de votre part sur cette question en présence du tribunal...

NOËLLA. Tu peux parler, Colette : tout ça est devenu sans importance.

COLETTE, *après un temps.* Une semaine après ses fiançailles, je suis allée, un soir, à la chambre de Noëlla, l'aider à faire ses bagages, vu qu'elle partait le lendemain préparer son trousseau.

L'AVOCAT. Chez ses parents ?

COLETTE. Oui. En me faisant promettre de n'en parler à personne, elle m'a remis une lettre que Bruno lui avait envoyée pour moi. Il m'écrivait que son carême avait commencé le soir de Pâques quand il m'avait dit au revoir et qu'il pensait toujours à moi depuis ce temps-là. Vers la fin de la soirée, Aimé est venu à la chambre et a trouvé la lettre en me chipant mon paquet de cigarettes dans ma poche de manteau.

L'AVOCAT. Quelle a été sa réaction ?

COLETTE. Il m'a tellement abîmée de gifles que j'aurais perdu connaissance si Noëlla n'était pas venue à mon secours.

L'AVOCAT, *après un court instant de réflexion.* Je me permets d'insister sur ce point-ci : ce soir-là ou à quelque autre moment, l'accusé a-t-il jamais proféré des menaces à l'adresse de Bruno Maltais ?

COLETTE. Non. C'est à moi qu'il a promis de casser les reins si Bruno m'approchait : c'était plus facile.

L'AVOCAT. Merci. *(Il ne peut réprimer un petit soupir de soulagement.)* Vous saviez que Bruno allait assister au mariage de votre amie ?

COLETTE. Noëlla l'avait invité, mais il n'était pas sûr d'avoir congé.

L'AVOCAT, *se rendant compte que sa question est pénible.* Pouvez-vous me raconter maintenant ce que vous connaissez de l'accident dont il a été victime ce jour-là et des circonstances qui l'ont provoqué ?

COLETTE, *se prend le visage dans les mains, comme si elle repoussait cette idée, et murmure.* Je ne peux pas... Questionnez Bousille : il en sait encore plus long que moi là-dessus.

BOUSILLE, *comme l'avocat se tourne vers lui.* Avant-hier soir, je me suis écrit un petit résumé de ce que j'ai fait ce jour-là, de telle heure à telle heure : est-ce qu'il serait illégal que je m'en serve, croyez-vous ? *(Il indique les deux ou trois feuilles de papier grossier qu'il avait déjà dans les mains.)*

L'AVOCAT. Si vous pensez qu'il peut vous être utile.

BOUSILLE. Je voudrais tellement dire la vérité, toute la vérité et rien que la vérité, voyez-vous.

L'AVOCAT, *sourit pour le rassurer*. Nous allons vous y aider. Vous étiez présent au mariage depuis le matin, n'est-ce pas ?

BOUSILLE, *que l'énervement rend volubile*. Justement, oui. En premier, je ne devais pas venir, vu que je n'avais pas eu les moyens d'acheter un cadeau de noces aux mariés. Mais Henri a été bien bon, il m'a dit : « Viens quand même. Tu en profiteras pour ramener mon auto. » Voyez-vous, les mariés faisaient leur voyage de noces en avion. Alors il fallait quelqu'un pour… ramener l'auto de Dorval à Saint-Tite. D'autant plus que la mère d'Aimé m'avait demandé d'avoir l'œil sur lui, comme d'habitude, au cas où il aurait tendance à… se déranger tant soit peu.

L'AVOCAT. S'est-il… dérangé ?

BOUSILLE, *malheureux*. Heu… je serais plutôt porté à dire oui, étant donné que, vers midi, il pouvait difficilement se tenir debout tout seul sur ses jambes.

L'AVOCAT. Jusque-là, vous l'aviez suivi d'assez près ?

BOUSILLE. Ah ! je ne l'ai pas laissé d'une semelle. Et je ne peux pas dire que ça m'a essoufflé : il s'est tenu au bar de l'hôtel à peu près tout le temps.

L'AVOCAT. Pouvez-vous me donner une idée de la quantité d'alcool qu'il avait absorbée depuis le matin ?

BOUSILLE, *après un instant de sérieuse réflexion*. Je dirais environ trois verres de vin… et quatre ou cinq coups doubles de gin. Ça, c'était en plus du petit flacon qu'il avait vidé dans l'auto en route pour Pont-Viau.

L'AVOCAT. Est-ce qu'il avait mangé avant de quitter Saint-Tite ?

BOUSILLE. Pas que je sache, non. Hein, Aurore ? *(Elle hausse les épaules.)* Il s'était levé en retard, vu que, la veille au soir, lui et trois ou quatre amis avaient organisé un petit enterrement de vie de garçon à Shawinigan. Henri n'était pas là, mais ils l'avaient fêté quand même.

L'AVOCAT. Vous disiez donc que vers midi...

BOUSILLE. Je suis allé trouver Phil à sa table et je lui ai glissé la situation dans le creux de l'oreille. Il m'a répondu sur le même ton : « Prends-lui une chambre en haut et laisse-le dormir du sommeil du juste. »

L'AVOCAT. C'est ce que vous avez fait ?

BOUSILLE. Oui.

L'AVOCAT, *qui veut abréger*. Et vous l'avez veillé, pendant qu'il dormait, jusqu'à quatre heures ?

BOUSILLE, *a consulté son papier*. Excepté que, un moment, je me suis endormi moi aussi sur ma chaise : il faisait chaud dans la chambre, voyez-vous, et je m'étais levé au petit jour ce matin-là.

L'AVOCAT. Et quand vous vous êtes réveillé...

BOUSILLE. J'ai constaté que j'avais l'estomac creux. Alors je suis sorti de la chambre sur la pointe des pieds et j'ai demandé au commis du comptoir en bas : « Est-ce qu'on peut manger un bon sandwich pas trop cher dans les alentours ? » Il m'a répondu : « Va donc au restaurant Chez Alice, là-bas. » Juste comme j'arrivais là, je tombe face à face avec Colette et Bruno, qui venaient se mettre quelque chose sous la dent eux aussi.

L'AVOCAT. Ils avaient passé l'après-midi ensemble ?

BOUSILLE. Apparemment oui. Hein, Colette ?

L'AVOCAT. Continuez.

BOUSILLE, *poursuit, à contrecœur*. Alors on entre tous les trois. J'allais me prendre un tabouret au comptoir, quand Bruno me lance : « Viens t'asseoir avec nous autres. » Je réponds : « Non merci, je vous dérangerais. D'ailleurs, tout un repas assis à la table, c'est trop cher pour mes moyens. » Mais il a insisté : « Viens, Jupiter ! je t'invite : il nous faut un chaperon. » Colette et lui m'ont pris chacun par un bras et on a dansé entre les tables jusqu'à un petit coin au fond. Ils étaient fous comme des enfants, tous les deux. Même que la patronne riait de nous voir faire.

L'AVOCAT. Vous étiez seuls avec elle dans le restaurant ?

BOUSILLE. Exactement, oui. Alors Bruno lui a déclaré : « Chère belle madame, vous avez devant vous des clients heureux. Tout ce qui cloche, c'est qu'ils ont une faim de loup. Pouvez-vous les soulager de ça ? » Elle a répliqué : « Bien sûr ! » Et elle venait juste de disparaître dans la cuisine avec la commande, quand vlan ! on entend claquer la porte du restaurant. *(Il s'arrête, misérable.)* Veux-tu continuer, Colette ?

Colette, qui pleurait, refuse d'un signe de la tête.

L'AVOCAT, *vient au secours de Bousille, qui, la respiration courte, a extrait de sa poche une petite fiole et avale une pilule à la dérobée*. Je vais vous aider. C'est Aimé qui venait d'entrer.

BOUSILLE, *acquiesce.* Le commis de l'hôtel avait dû lui dire où j'étais.

L'AVOCAT, *qui consulte son dossier.* Il s'est approché de la table et a commandé à Colette de le suivre, mais elle a refusé, n'est-ce pas ?

BOUSILLE. Oui. Aimé lui a attrapé le poignet en gueulant : « Arrive ici, toi ! T'as pas compris ce que j'ai dit ? »

L'AVOCAT. C'est alors que Bruno est intervenu ?

BOUSILLE. Il a flanqué à Aimé une poussée dans le creux de l'estomac.

L'AVOCAT. Aimé a perdu l'équilibre, le contenu du verre d'eau que Colette tenait à la main lui inondant la figure : c'est bien ça ?

BOUSILLE. Exactement. Comme il se relevait, le souffle coupé, je me suis jeté devant lui : « Fais pas le fou, Aimé », que je lui ai dit, « viens t'essuyer. »

L'AVOCAT. Et vous avez réussi à l'éloigner.

BOUSILLE. Je l'ai poussé dans la toilette des hommes, qui était juste à côté.

L'AVOCAT. Dites-moi ce qui s'est passé là.

BOUSILLE, *malheureux.* Je venais d'enlever son veston à Aimé pour le sécher, quand Bruno est entré.

L'AVOCAT. Mademoiselle Marcoux a-t-elle eu connaissance de ce qui va suivre ?

BOUSILLE. Non : j'ai été le seul témoin, malheureusement, vu que la porte s'est refermée d'elle-même. C'était une porte à ressort, voyez-vous.

L'AVOCAT. Continuez.

BOUSILLE. J'ai pensé que Bruno venait s'excuser, parce qu'il a dit en tendant la main : « Écoute, Grenon :

une belle journée comme celle-là, on n'est pas pour... » Il n'a pas eu le temps de finir sa phrase : Aimé lui avait décoché un coup de poing en plein sous le menton. *(Péniblement.)* Bruno est tombé à la renverse. Sa tête a résonné sur le ciment...

Colette comprime un haut-le-cœur dans son mouchoir. Noëlla, qui pleurait elle aussi, se précipite et la conduit dans la salle de bain.

AURORE. Aimé a dû croire que Bruno venait le relancer et il a voulu frapper le premier. C'est clair.

L'AVOCAT, *à Bousille.* Voilà bien tout ce qui s'est passé ?

BOUSILLE. Jusque-là, oui. *(Indiquant son papier.)* Ce qui a suivi est peut-être sans importance, mais...

L'AVOCAT. Dois-je comprendre que la bataille ne s'est pas terminée avec la chute de Bruno ?

BOUSILLE. C'est-à-dire que Bruno a cherché à se relever comme un homme soûl : il se plaignait, en se tenant la tête à deux mains. C'est là qu'Aimé s'est élancé pour lui flanquer un autre coup de poing en disant : « Celui-là, c'est pour ta maudite lettre à Colette. Il y a deux mois que je me promets de te le donner ! » J'ai eu à peine le temps de lui attraper le poignet et de le faire frapper dans le vide.

HENRI, *s'est avancé vers lui.* Qu'est-ce que tu inventes là, toi ?

BOUSILLE. Ensuite, je me suis jeté sur lui et je l'ai retenu jusqu'à l'arrivée des autres.

L'AVOCAT, *après un moment de stupéfaction générale.* Je ne vois pas ces derniers détails dans votre déposition à l'enquête du coroner. *(Il feuillette le dossier.)*

BOUSILLE. Justement, non. *(Bégaie, énervé.)* L'enquête, c'était le lendemain de l'affaire… Je n'arrivais pas à parler, je tremblais comme une feuille. Vous le savez, vous autres : même qu'en racontant le premier coup de poing, j'ai eu une faiblesse et le docteur a été obligé de me donner une piqûre pour mon cœur. Quand j'ai repris mes sens, le coroner était parti.

L'AVOCAT. Évidemment, la preuve obtenue justifiait déjà l'arrestation de l'inculpé.

BOUSILLE. Et personne ne m'a questionné là-dessus par la suite. C'est pourquoi je voulais tellement vous parler, pour savoir si, d'après la loi, j'ai encore le droit de…

Sonnerie du téléphone.

L'AVOCAT. Vous ne pouvez pas contredire votre témoignage, mais rien ne s'oppose à ce que vous le complétiez, bien entendu.

Colette, soutenue par Noëlla, vient de sortir de la salle de bain.

AURORE, *qui a répondu au téléphone et raccroche le récepteur*. Le frère de Noëlla est revenu chercher Colette : il l'attend en bas.

COLETTE, *faible*. Je descends. *(À l'avocat.)* Est-ce tout ?

L'AVOCAT. Oui, mademoiselle. Encore une fois, merci. Pour moi-même et au nom de l'accusé.

COLETTE, *refoulant ses larmes*. Tant mieux si ce que je vous ai dit peut lui éviter la punition qu'il mériterait... pour avoir tué un pauvre garçon qui était prêt à m'aimer, même si je n'en valais pas la peine. *(Elle se dirige vers la porte.)*

NOËLLA. Je vais te reconduire.

COLETTE. Inutile de te déranger.

NOËLLA. Je t'en prie, ma pauvre fille. *(Elles sortent.)*

AURORE. Reste à savoir si elle dira la vérité demain. Je mettrais ma main au feu qu'elle n'a pas fait ses Pâques depuis au moins deux ans !

L'AVOCAT, *pensif*. Ce n'est pas son témoignage à elle qui m'inquiète. *(À Bousille.)* Vous disiez donc qu'en ébauchant un deuxième coup de poing – que vous avez d'ailleurs réussi à faire dévier – Aimé a dit clairement : « Celui-là, c'est pour ta maudite lettre à Colette...

BOUSILLE, *continue la phrase*. ... Il y a deux mois que je me promets de te le donner. »

L'AVOCAT, *après un léger temps*. Merci.

BOUSILLE, *mal à l'aise, dans le silence glacé*. Ça peut tirer à conséquence ?

L'AVOCAT, *pour lui-même autant que pour les autres*. La poursuite s'appuiera certainement sur ce point pour tenter de prouver préméditation chez l'accusé. Dans ces conditions il me sera difficile, sinon impossible, d'obtenir le rejet pur et simple de la cause comme je l'espérais.

AURORE, *butée*. Je ne vois pas ce que ça change, moi.

L'AVOCAT. Jusqu'ici, je comptais justifier le geste malheureux de l'accusé par le raisonnement suivant, que je vous exposais ce matin : au moment de l'accident, Aimé se trouvait – ou croyait se trouver – en état de légitime défense devant un homme qui avait déjà levé la main sur lui quelques secondes plus tôt.

AURORE. … Bien sûr !

L'AVOCAT. … Mais comment voulez-vous que j'y parvienne maintenant, s'il est prouvé au tribunal – à l'aide de l'incident que vient de rapporter monsieur Belzile – que votre frère avait, depuis au moins deux mois, l'intention ferme de frapper Bruno Maltais ?

Noëlla est revenue dans la chambre.

HENRI. Ce qui veut dire, en blanc et en noir, qu'il peut être condamné ?

L'AVOCAT. Je le crains sérieusement.

AURORE. Doux Jésus, secourez-nous !

L'AVOCAT. Cependant il ne faudrait pas vous alarmer outre mesure : je compte bien faire admettre au jury qu'il s'agit, au pis aller, d'une affaire passionnelle impliquant un accusé sans le moindre casier judiciaire, qui n'avait évidemment pas l'intention de tuer son rival, même s'il entendait le malmener.

PHIL. Qu'est-ce qu'il risque, comme sentence ?

L'AVOCAT. Cinq ou six mois. Il sera peut-être condamné tout simplement au temps qu'il a déjà passé en détention.

AURORE, *aux abois*. Mais c'est pas ce qu'on voulait ! S'il est reconnu coupable, il sera un « sorti de prison » jusqu'à la fin de ses jours. Tandis que s'il est acquitté sans condition, comme vous le disiez à matin…

L'AVOCAT. Madame, mon devoir est de défendre un accusé par tous les moyens légaux à ma disposition, mais je ne peux tout de même pas modifier les dépositions des témoins.

BOUSILLE, *qui, visiblement fatigué, s'éponge le front.* Pardon… C'est fini, les questions ?

L'AVOCAT. Oui, je vous remercie.

BOUSILLE. Est-ce que je pourrais aller boire un peu d'eau, s'il vous plaît ?

L'AVOCAT. Certainement. Vous pouvez disposer.

BOUSILLE. Merci. *(Il entre dans la salle de bain.)*

L'AVOCAT, *après un coup d'œil à sa montre.* Vous voudrez bien m'excuser : on m'attend.

AURORE, *qui n'a pas encore baissé pavillon.* J'espère que vous êtes toujours convaincu qu'Aimé est innocent, malgré ce que vous a radoté cet espèce de timbré-là.

L'AVOCAT, *replaçant le dossier dans sa serviette.* Ma conviction personnelle importe moins que celle que se fera le jury demain.

AURORE. Qui sait s'il n'a pas rêvé la moitié de ce qu'il vient de dire ? Un ancien ivrogne, qui se mettait à délirer dès qu'il prenait un verre de trop !

L'AVOCAT. Je vous répète que, de toute façon, je tenterai l'impossible pour obtenir un verdict d'acquittement, même si j'ai peu d'espoir d'y arriver.

HENRI. De mon côté, je vais tâcher de tirer l'affaire au clair avec lui.

PHIL. Il faudrait bien être sûr qu'il dira la vérité et rien que la vérité, comme il le voulait.

L'AVOCAT, *poli.* Cela va de soi. *(Comme Aurore lui remet son chapeau.)* Au revoir, mesdames et messieurs. *(Il sort.)*

AURORE, *à peine la porte refermée, regarde Henri droit dans les yeux.* Penses-tu ce que je pense, toi ? *(Elle a baissé la voix.)*

Henri ne répond pas, mais on comprend qu'il est d'accord.

PHIL, *s'approche.* Apparemment, on a eu tous les trois la même inspiration.

HENRI, *après un temps.* C'est lui qui vous conduit à Saint-Tite tout à l'heure ?

AURORE. Oui.

HENRI. N'oublie pas de me le ramener demain matin aussitôt que possible.

AURORE. Tu ne préfères pas prendre le… mouton par les cornes tout de suite ?

HENRI. La nuit porte conseil : aussi bien qu'elle me profite à moi qu'à lui.

PHIL, *montre en main.* D'ailleurs, si vous ne voulez pas être là-bas trop tard, vous faites mieux de partir : il est déjà sept heures cinq.

AURORE, *sursautant.* Pas vrai ? Mon Dieu ! Maman qui m'avait fait promettre de l'éveiller pour sept heures sans faute !

Elle court dans la chambre voisine.

NOËLLA, *qui a écouté la scène, consternée, vient vers Henri.* J'espère que j'ai mal compris et que tu n'as pas l'intention de…

HENRI, *l'interrompt, brutal, comme Bousille sort de la salle de bain.* Toi, mêle-toi de ce qui te regarde !

BOUSILLE, *conscient de sa situation délicate, essaie de se donner une contenance*. L'avocat est parti ? Il a l'air honnête, pas vrai ? C'est une chance, dans notre malchance, qu'on soit tombés sur…

HENRI. Dis donc, toi… *(Il lui fait signe d'approcher, puis, entre quatre yeux.)* Pour la fin de ton histoire, tout à l'heure, tu es sûr de ton coup ?

BOUSILLE, *translucide*. Évidemment.

HENRI. Repense donc à ton affaire, en t'en allant là-bas.

BOUSILLE. Je peux y repenser, mais je ne vois pas ce que ça pourrait…

HENRI, *lui décoche une petite gifle rapide*. Repenses-y donc, oui. Et on en reparlera demain matin.

LA MÈRE, *fait irruption dans la pièce et court, chapelet à la main, tourner le bouton du petit radio-récepteur*. Vite ! À genoux, tout le monde : le chapelet en famille est commencé à la radio !

Elle se jette elle-même à genoux. Aurore se prépare à l'imiter et cherche son chapelet dans son sac à main. Henri est encore debout, les yeux plantés dans ceux de Bousille.

LA MÈRE, *clame pendant ce temps*. Bonne sainte Anne, on va dire ce chapelet-là en votre honneur. Faites que notre cher petit Aimé soit proclamé innocent !

AURORE, *au moment de s'agenouiller, constate que Phil termine paisiblement son verre et lui donne une tape dans le dos*. À genoux, toi !

LA MÈRE, *continue, pendant que Noëlla, à l'écart, observe le tableau, les dents serrées*. Vous seule pouvez me le sauver, bonne sainte Anne ! Si vous m'exaucez, je vous promets un beau pèlerinage avec toute la famille...

TROISIÈME ACTE

La lumière d'un matin gris filtre entre les lames du store vénitien. Seul en scène, Phil ronfle, étendu sur le lit et encore vêtu de son pantalon, de sa chemise et de ses chaussettes. Une première sonnerie de téléphone le fait se retourner.

PHIL, *à la deuxième sonnerie, marmotte, encore à moitié endormi.* Henri, téléphone !

NOËLLA, *en jupon, vient de la chambre voisine et répond.* Allô !... Non, il n'est pas ici... Je ne sais pas... Oui. Veux-tu lui parler ?... *(Elle dépose le récepteur.)* Phil ! *(Elle est venue vers lui et le secoue.)* Phil, c'est Aurore.

PHIL, *sursaute, complètement réveillé.* Aurore ! Où ça ?

NOËLLA. Au téléphone. *(Elle retourne dans la chambre voisine.)*

PHIL, *vient vers le téléphone en bâillant, mais se compose une attitude en prenant le récepteur.* Allô, Minoune !... Eh non ! J'étais levé depuis deux bonne heures, environ... Henri ? Sais-tu, il doit être en train de déjeuner. Il était déjà parti quand j'ai ouvert l'œil. Où êtes-vous, là ?... Ouais !... Prends le numéro de l'autre auto, c'est tout ce qu'il y a à faire : les assurances paieront...

Henri entre.

PHIL, *continuant*. Rien de bosselé de votre côté ?... Tant mieux ! Une seconde, Henri entre justement. *(À Henri.)* Bousille vient de se faire accrocher le bout d'une aile près du parc La Fontaine.

HENRI, *lui a déjà enlevé le récepteur*. Qu'est-ce que vous faites, bon Dieu ?... Fiche-moi la paix avec ton histoire et arrive avec lui : il est déjà neuf heures cinq ! Compris ? *(Il raccroche le récepteur violemment.)*

PHIL, *qui s'empresse de se refaire une dignité*. Encore un peu et Aurore me prenait au lit. Heureusement que j'étais couché tout seul ! J'espère que je ne vous ai pas éveillés quand je suis entré ce matin ? Heu... c'est-à-dire hier soir ?

HENRI, *qui se sert un verre*. Me prends-tu pour une douzaine de poires ? Tu frappais dans la porte à coups de poing : c'est moi qui te l'ai ouverte.

PHIL. Eh oui, c'est vrai ! Que je perds donc la mémoire en vieillissant, moi ! Tu comprends, je suis allé voir un de mes cousins... *(Malgré le bref regard significatif qu'Henri lui jette du coin de l'œil, il continue, imperturbable.)* Il sort la bouteille, on se met à parler du bon vieux temps. Du plaisir comme jamais ! Quand on est revenus à la réalité, le jour se levait. Toi, qu'est-ce que tu as fait de ton corps ?

HENRI, *l'esprit ailleurs*. J'ai pris quelques verres de bière à la taverne de l'hôtel.

PHIL. Noëlla ?

HENRI. Dans sa famille.

PHIL, *vient vers lui*. Dis donc : inutile de raconter ça à Aurore, hein ?

HENRI. Quoi ?

PHIL. Que je suis rentré au petit jour. Tu la connais : j'ai beau me fendre en quatre pour lui prouver que je dis la vérité…

HENRI. Je me fous pas mal de ton affaire. J'ai d'autres chats à fouetter, aujourd'hui.

PHIL. Merci ! Je trouverai bien l'occasion de te rendre la pareille, un de ces jours : avec un matou comme toi, je suis tranquille. *(Il se tait subitement, comme Noëlla vient de la chambre voisine et commence à faire le lit en silence.)*

PHIL, *qui est maintenant prêt à sortir.* Je descends quelques minutes, me remplir le biberon de café.

HENRI. Va le chercher, ton café, et remonte le boire ici : Bousille s'en vient et j'ai besoin de toi pour lui serrer la vis.

PHIL, *inquiet.* Toujours la même idée dans le caillou ?

HENRI. Fais ce que je te dis !

PHIL, *presque sérieux.* À ce sujet-là, sais-tu que, moi, j'ai la conviction plutôt ramollie ce matin. J'ai passé la nuit en méditation sur le problème et puis…

HENRI, *élevant la voix.* Efface-toi, bon Dieu ! si tu veux remonter.

PHIL. Ménage-toi, ménage-toi ! Tu sais qu'il t'en faut moins que ça pour me faire trembler dans mes culottes. *(Il sort.)*

NOËLLA, *après un temps.* J'ai à te parler, Henri. Et ce que j'ai à te dire est grave. Tâche de m'écouter pour une fois. *(Elle est venue vers lui.)* Il faut que tu oublies ton projet au sujet de Bousille, je te le demande en grâce.

HENRI, *qui a continué de boire, sans s'occuper d'elle.* Je t'ai dit hier soir de te mêler de ce qui te regarde.

NOËLLA. Ce serait trop dommage avec lui. Tu serais sans excuse, tu sais pourquoi.

HENRI. Mêle-toi de tes affaires, m'as-tu compris ?

NOËLLA. Je t'ai demandé si peu de chose jusqu'ici : accorde-moi cette faveur-là.

HENRI, *se tourne vers elle, l'œil dur.* Tu fais mieux de ne pas me barrer le chemin.

NOËLLA. J'ai tellement besoin de garder un peu d'estime pour toi.

HENRI. Tu t'en mordrais les doigts pendant longtemps, ma belle.

NOËLLA. Je t'en supplie, Henri.

HENRI. Et je te préviens : je ne veux pas te voir ici quand j'aurai à lui parler. Fais ce que tu voudras, mais déguerpis, tu m'entends ?

La porte s'ouvre : Phil entre.

PHIL. Je vous amène un visiteur.

Comme Noëlla retourne dans la chambre voisine, le frère Nolasque paraît, son chapeau à la main.

PHIL. On s'est rencontrés dans le corridor.

NOLASQUE. Bonjour, Henri. J'ose croire que je ne vous dérange pas trop ?

PHIL. Je lui disais que c'est peut-être pas le moment rêvé pour...

HENRI, *sèchement.* Non, c'est pas le moment !

NOLASQUE, *bafouille, les oreilles rouges.* Je suis venu au marché Bonsecours avec le frère cuisinier, alors…

HENRI. Tu veux voir Bousille ?

NOLASQUE. Oui, j'aurais bien aimé le…

HENRI. Il n'est pas ici.

NOLASQUE. Je l'ai à peine entrevu quelques secondes hier, alors…

PHIL, *intervient.* Mais il doit arriver d'une minute à l'autre.

NOLASQUE. Alors je l'attendrai dans le hall, histoire de lui dire un petit bonjour.

HENRI, *tranchant.* Impossible ! Moi aussi j'ai affaire à lui.

NOLASQUE, *bat en retraite, de plus en plus confus.* Entendu, alors. *(À Phil.)* À propos, voulez-vous dire à ma tante Grenon que, ce matin à la messe de communauté, Aimé a été recommandé aux prières ?

PHIL, *pince-sans-rire.* Tu peux être sûr qu'elle en sera folle de joie.

NOLASQUE, *trop perdu dans sa timidité pour sentir l'ironie de Phil.* Et prévenez-la donc que, cet après-midi vers trois heures, je viendrai de nouveau la consoler.

PHIL. Vers trois heures ? Entendu. Je lui dirai de se préparer et de sortir son mouchoir.

NOLASQUE, *prenant congé.* D'ici là, bon courage !

PHIL. Merci, vieille branche.

Aurore entre en coup de vent, comme Nolasque sort.

AURORE. Ouf! *(Elle se laisse tomber sur une chaise, hors d'haleine.)*

PHIL, *lui donne un baiser sur la joue.* Bonjour, Minoune! Ton gros loup noir s'est ennuyé de toi.

HENRI. Bon Dieu! Tu parles d'une heure pour arriver.

AURORE, *au bord de la crise.* Toi, laisse faire! J'ai déjà assez les nerfs en boule.

PHIL. Le voyage a été dur, pas vrai?

AURORE. Tu l'as dit. Avec ça que je n'ai pas fermé l'œil de la nuit.

PHIL, *dégoûté de la vie.* Moi non plus: roule d'un bord, roule de l'autre!

AURORE. J'ai cru qu'on n'arriverait jamais, avec lui qui conduisait à trente milles à l'heure, en prétendant qu'il voyait tout embrouillé.

HENRI. Où est-ce qu'il est?

AURORE. Dans l'auto avec maman: il ne voulait pas monter tout de suite.

HENRI, *à Phil.* Va le chercher. Et ramène-le par la peau du cou, s'il le faut. C'est tout ce que j'ai à te dire.

PHIL. Bon! *(Il sort, la mine rechignée.)*

AURORE. Si tu n'as pas besoin de moi, je vais avec maman attraper ce qui restera de la messe de neuf heures à l'église Notre-Dame. Je te reverrai au Palais de justice.

HENRI. Comme tu voudras.

AURORE, *au moment de partir.* Son accident d'auto avec Aimé, c'est arrivé quand?

HENRI. Il y a eu un an à la fête du Travail.

AURORE. Il avait combien de temps pour intenter une action en dommages-intérêts?

HENRI. Un an.

AURORE. Comme ça, on n'a plus d'embêtements à redouter de ce côté-là ?

HENRI. Pas de danger. Il aurait encore dix ans pour poursuivre qu'il serait trop bête pour en profiter.

AURORE. Bonne chance ! *(Elle lui serre le bras.)* Je vais prier pour que tu réussisses. *(Elle sort.)*

Henri va à la commode et se verse une rasade d'alcool, comme Noëlla vient de la chambre voisine, prête à sortir.

HENRI, *s'approche.* Tu vas quand même me dire où tu vas.

NOËLLA. Je vais prier, moi aussi. Pour que justice se fasse. Ensuite, je remonterai avoir soin de ta mère, pendant que vous serez là-bas.

La porte s'est ouverte et Bousille paraît, avec Phil sur les talons.

PHIL. Entre, Bousille, sans te gêner !

BOUSILLE, *à Noëlla, qui est venue vers lui et le regarde tristement.* Tu pars, Noëlla ?

NOËLLA. Oui, mon Bousille. *(Elle lui donne un baiser sur la joue et sort, sans un mot de plus.)*

BOUSILLE, *qui est resté, timide, près de la porte.* Tu sais, Phil, je regrette pour l'auto : je ne sais pas si c'est la pluie qui m'a embrouillé la vue...

PHIL. Je te fais des reproches ?

BOUSILLE. Non, mais je me tracasse en diable.

PHIL. N'importe qui peut se tromper.

HENRI, *intervient*. L'erreur, c'est de s'entêter à ne pas l'admettre. Tu es d'accord ?

BOUSILLE. Évidemment.

HENRI, *sous son nez*. Note bien ça : on peut tout pardonner à un homme, quand il est prêt à reconnaître qu'il est dans le tort.

BOUSILLE. Pourtant, il me semble que j'avais bien regardé avant de tirer à gauche !

PHIL. Oublie ça : je te donne un petit sursis.

HENRI. Enlève ton imperméable, tu vas avoir chaud.

BOUSILLE, *mal à l'aise*. Non, merci : j'aimerais bien entendre un petit bout de messe, moi aussi, avec Aurore et...

HENRI. Je te dis d'enlever ça.

BOUSILLE. C'est la fête des saints anges gardiens, aujourd'hui. Alors, vu les circonstances...

HENRI, *ne peut réprimer une seconde d'impatience*. Vas-tu m'écouter, bon Dieu !

PHIL, *qui blague pour rassurer Bousille*. C'est pas notre fête, mais on aimerait te garder, nous autres aussi. *(Il l'aide à enlever son imperméable.)*

HENRI. Assieds-toi, qu'on se parle deux minutes. *(Il le fait asseoir.)*

PHIL, *prenant le missel que Bousille a à la main*. Je peux te débarrasser de ta bibliothèque ?

BOUSILLE. C'est un cadeau du père Anselme.

PHIL. Ouais ! Plongé là-dedans, tu ne dois pas voir passer la quête, toi.

BOUSILLE. Il m'est sûrement bien utile.

PHIL, *qui ne cherche qu'à retarder l'attaque d'Henri*. Et puis, quoi de neuf à Saint-Tite ?

BOUSILLE. Ah ! je vous dis que le chien était content de me voir.

PHIL. Ouais ! C'est pas une nouvelle fraîche.

BOUSILLE, *le cœur réchauffé.* Il était content, ce chien-là ! Il sautait haut comme ça.

PHIL. J'en faisais la remarque à Aurore l'autre soir : il existe une étonnante affinité de caractère entre vos deux personnalités.

BOUSILLE. C'est un si bon chien.

PHIL. Pas d'erreur, il a une belle délicatesse de sentiments. Mais je trouve qu'il couraille un peu fort pour ses capacités.

BOUSILLE. Moi aussi, je suis inquiet. Avec ses rhumatismes...

PHIL. C'est justement à cet âge-là qu'un chien trop entreprenant se donne un tour de rein.

BOUSILLE. Il devrait se reposer, c'est sûr.

PHIL. Tâche donc de lui faire comprendre la chose en douceur.

HENRI, *qui grinçait des dents, éclate.* D'accord ! mais, pour l'instant, on a mieux à faire que de parler du retour d'âge de Fido !

PHIL, *grogne avant de s'effacer.* Quand même on prendrait les intérêts d'un ami commun deux minutes !

HENRI, *le temps de tourner la page moralement, puis.* Une cigarette ?

BOUSILLE. Non, merci : ça me fait lever le cœur, à jeun.

HENRI, *l'observant du coin de l'œil.* Une damnée affaire que ce procès-là, hein, Bousille ?

BOUSILLE. Je te crois. J'y ai pensé toute la nuit, les yeux grands comme la pleine lune.

HENRI. Oui, une damnée affaire !

BOUSILLE. Mais, d'après ce que l'avocat déclarait hier soi, Aimé aurait des chances de s'en tirer pas trop échaudé, malgré tout.

HENRI. Bah ! Il voulait tout simplement nous mettre un peu de rose dans les idées noires. Je suis sûr que tu as été assez intelligent pour le comprendre.

BOUSILLE. Non, en toute franchise.

HENRI. Moi, je te le dis tout net, au risque de t'énerver : de la façon dont le moteur s'embraye, Aimé peut faire un voyage de cinq ans au pénitencier !

BOUSILLE. Tu penses ?

HENRI. N'importe quoi peut arriver. Un juge sur le banc, mon vieux, c'est aussi capricieux qu'un arbitre sur la patinoire. Suffit que celui-là ne lui aime pas la fiole.

BOUSILLE. Évidemment.

HENRI. Ce serait un coup terrible pour la famille. Je me demande si la mère s'en remettrait.

PHIL. Avec la pression qu'elle a dans la bouilloire, moi, je ne réponds de rien !

BOUSILLE. Ce serait dommage, au possible.

HENRI. Une femme qui t'aime gros. Laisse-moi te l'apprendre, si tu te le demandes encore.

BOUSILLE. Ah ! je le sais : moi aussi j'ai de l'affection pour elle.

HENRI. Tu n'as pas grand mérite, après toutes les bontés qu'elle a eues pour toi.

BOUSILLE. C'est clair.

HENRI. Va jamais lui faire de la peine !

BOUSILLE. Je serais bien mal venu.

HENRI. Disons le mot : tu serais un ingrat.

BOUSILLE. Elle me bougonne des fois, mais…

HENRI. Ta propre mère en aurait fait autant.

BOUSILLE. Peut-être. Je l'ai à peine connue : quand elle a été enterrée, j'avais quatre ans.

HENRI. C'est pourquoi tu es, comme qui dirait, notre petit frère adoptif.

BOUSILLE. Ah ! je m'ennuierais encore davantage loin de vous autres, pour sûr.

HENRI. Prends Aimé par exemple : il ne pouvait pas faire un pas sans toi, ce gars-là.

BOUSILLE, *sans arrière-pensée*. Certains soirs surtout.

PHIL. Jusqu'aux enfants à la maison : te rends-tu compte de l'attachement qu'ils ont pour toi, ces chers petits cœurs-là ? Quand on sort, le soir, et qu'on leur dit que c'est encore toi qui vas les garder, c'est bien simple, ils sautent de joie.

BOUSILLE, *touché*. Sérieusement ?

PHIL. Ils t'aiment ! Ah ! je te l'avoue : moi, leur père, il y a des fois que je suis jaloux de toi.

BOUSILLE. Ça me fait grand plaisir que tu me le dises. Moi aussi, je les trouve de mon goût, mais il me semblait que... *(Il hésite.)*

PHIL. Quoi ?

BOUSILLE. Qu'ils riaient souvent de moi, dans mon dos.

PHIL. Qu'est-ce que tu vas chercher là, toi ? Que tu es donc « complexé » ! C'est triste – pas vrai, Henri ? – de voir un gars équilibré comme lui, belle éducation, un an à se cultiver chez les frères après la petite école, se tourmenter à ce point-là !

HENRI. Oui, quand toute la famille fait l'impossible pour lui montrer de l'estime.

BOUSILLE. Ah ! ce n'est pas votre faute.

PHIL. Non, certain !

BOUSILLE. Je dois être méfiant de nature : depuis que je suis haut comme ça, j'ai toujours la frousse de recevoir un coup de fourche dans les reins.

HENRI. Reviens-en : ton père est mort depuis longtemps. Et le bedeau lui a enlevé sa fourche des mains avant de refermer la tombe.

BOUSILLE, *à Henri.* C'est drôle, tu me fais penser à lui, des fois.

HENRI. Moi, je te rappelle ton père ?

BOUSILLE. C'est-à-dire que...

PHIL. Ne viens pas m'apprendre que ce bon diable-là te fait peur ?

BOUSILLE. Ah !... pas toujours.

PHIL. Il a l'air d'un taureau à première vue, mais gratte un peu : tu verras que la viande est bien tendre sous le poil.

HENRI, *s'assoit près de Bousille.* Je vais te dire en deux mots, moi, comment je suis. Tu m'as déjà vu trôner sur mon bulldozer, quand je fais du terrassement ?

BOUSILLE, *convaincu.* Tu es impressionnant. Tu n'es pas assis sur le bulldozer : c'est toi, le bulldozer on dirait.

HENRI. Tu n'as jamais dit plus vrai. Aussi longtemps que je travaille dans le mou, je prends la vie par le bon bout, en écoutant les petits oiseaux chanter. Mais si une souche ou une masse de roches me résiste, là, tout d'un coup, je vois rouge, je me baisse les cornes et je fonce ! Et puis tout casse devant moi.

PHIL, *renchérit.* Un vrai ouragan !

BOUSILLE. Je te crois : j'en ai déjà eu la chair de poule. Tu te rappelles, cet été, la balançoire sous le beau peuplier, près de la maison ? Noëlla aimait s'asseoir là au frais, en tricotant ou en reprisant tes salopettes...

HENRI, *à Phil.* Il a toute une mémoire, lui ; un vrai kodak !

BOUSILLE. Toujours est-il qu'un beau matin – je me demande quelle mouche t'avait piqué pendant la nuit – tu sors de la maison à moitié habillé, les bretelles pendantes, tu sautes sur ton bulldozer et, le temps de crier : « Fais pas le fou ! » tu écrabouilles la balançoire en mille miettes et tu envoies l'arbre voler dans le champ.

HENRI, *les yeux dans les yeux.* Faut pas qu'on me résiste, vois-tu. Il y en a qui sont comme ci, moi je suis comme ça. Faut pas qu'on me barre la route, toute la question est là. Tu comprends ?

BOUSILLE. C'est clair.

HENRI. Mais quand on est de mon avis, je peux être bonasse et serviable comme personne. Tu en veux des preuves ? Rappelle-toi ta sortie de l'hôpital, après ton accident d'auto avec Aimé : quarante jours d'hospitalisation et de traitements. Il montait à combien, le compte ?

BOUSILLE, *écrasé.* Quatre cent quatre-vingt-douze dollars et soixante-cinq cents, avec les rayons X.

HENRI. Une petite fortune, quoi ! Le connais-tu, le gars dangereux qui s'est saigné à blanc pour le payer à ta place, ce compte-là ?

BOUSILLE. Je me suis souvent demandé, aussi, pourquoi la révérende sœur économe avait eu l'audace de te l'envoyer. D'autant plus que je l'ai déjà entendu dire au docteur « qu'un certain individu avait des responsabilités graves dans cette affaire ». En admettant qu'elle ait eu raison, il me semble que c'est lui qui aurait pu m'aider temporairement, pas toi.

HENRI. Pauvre gogo ! Tu n'as pas encore soupçonné que cet individu-là pouvait être Aimé, moi et chacun de nous autres ?

BOUSILLE, *en toute simplicité*. Non.

HENRI. Des responsabilités ? Bien sûr qu'on en avait, graves au possible ! Tu fais partie de la famille, d'accord ?

BOUSILLE. C'est toi qui as la bonté de le prétendre.

HENRI. Quand ton frère, par sa faute ou non, s'est fourré dans la crotte jusqu'aux babines, tu n'as pas le choix : c'est ton devoir, en conscience, de te boucher le nez et de le tirer de là avant qu'il en mange trop, trop. Pas vrai ?

BOUSILLE. En tout cas, je te remercie, je ne peux pas le dire assez.

HENRI. Je sais que tu n'es pas un sans-cœur. Tu me revaudras bien ça un jour ou l'autre. Peut-être plus tôt que tu ne penses.

BOUSILLE. Je me demande comment : je n'arrive jamais à m'entortiller une vieille *cenne* dans le coin du mouchoir.

HENRI. Je te parle d'argent ? Fiche-moi donc la paix, avec tes préoccupations matérielles ! On dirait que c'est tout ce que tu as dans la tête.

PHIL. Mon vieux Bousille, dans le monde pourri d'aujourd'hui, c'est pas à tous les coins de rue que tu rencontreras un saint Vincent de Paul comme lui.

BOUSILLE. Non, certain.

HENRI, *désignant Phil*. Il est fort pour parler des mérites des autres, mais il ne dit pas un mot des sacrifices qu'il a faits pour toi, lui.

PHIL. Bah ! Tu vas me gêner.

HENRI, *à Bousille.* Repasse tes souvenirs de voyage : tu sors de l'hôpital convaincu que tu fais partie de l'amicale des chômeurs. Mais non : tu te retrouves comme par enchantement devant ta machine, à la fabrique de gants, grâce à ce magicien-là, qui avait dit un bon mot pour toi à la contremaîtresse.

PHIL, *confesse.* Ç'a été difficile : elle ne voulait rien comprendre, ce soir-là.

HENRI. Quinze jours plus tard, vlan ! tu te fais flanquer à la porte.

BOUSILLE. C'est mon énervante de rotule qui a guéri de travers. À force de pédaler à longueur de journée devant ma machine, le genou m'enflait gros comme un melon. Je pâtissais tellement que la sueur me coulait dans le dos.

HENRI. N'empêche que tu te retrouves le derrière sur la paille. Un infirme, pas même capable de gagner sa vie !

BOUSILLE. J'avais le cœur en compote, ce vendredi soir-là.

HENRI. Phil fait le bon Samaritain encore une fois : « Viens-t'en à la maison ! » qu'il te dit. Tu t'amènes avec tes guenilles : Aurore t'installe une belle couchette dans le grenier du garage. C'est pas de la chance, ça, pour un *quêteux* ?

BOUSILLE. Je l'apprécie, tu peux en être sûr.

PHIL. Pas d'erreur, tu es heureux là-dedans, toi, comme un mulot dans une poche de noix !

HENRI. Sans compter que la manne tombe pour toi chaque samedi soir. Qu'est-ce que tu lui donnes, Phil ?

PHIL, *emphatique.* Un beau billet de cinq *piastres* ! *(Il sort un billet de banque de sa poche.)* À propos, j'ai oublié de te payer tes honoraires, cette semaine.

BOUSILLE. Je pouvais attendre.

PHIL, *lui mettant le billet dans la main*. Je te le dis, moi : il y a une Providence pour toi.

BOUSILLE. C'est bien évident. Seulement, comme la question de mon travail est sur le tapis...

PHIL. Tu n'as pas à te plaindre, j'espère ? Quelques petits services au garage, histoire de te chasser les mauvaises pensées.

BOUSILLE. Les mauvaises pensées, tu sais, j'en viendrais bien à bout tout seul. D'autant plus qu'à vrai dire, je n'en ai pas souvent.

PHIL. Que je t'envie donc !

BOUSILLE. Tu m'as fait la confiance de me laisser tout seul répondre aux clients, le dimanche comme la semaine, pour la gazoline...

PHIL. Je dois admettre que, plus souvent qu'autrement, tu la verses dans le bon trou.

BOUSILLE. Mais si, par moments, je te donne l'impression de tirer de l'arrière quelque peu, je t'assure que ce n'est pas par mauvaise volonté.

PHIL. Où est-ce que tu pourrais bien prendre ça, toi ?

BOUSILLE. Non : la vraie raison, c'est que mes douleurs me reprennent, quand je marche trop sur ma jambe. Hier par exemple, j'ai circulé pas mal, tu le sais. Eh bien, le genou m'a élancé toute la nuit.

PHIL. Aujourd'hui, ça va mieux ?

BOUSILLE. Il est resté sensible comme tout. Avec ça qu'il brumasse en ce moment. Faites une petite prière pour que j'évite de me le cogner !

PHIL. Il faut dire que tu n'as jamais été bien dur au mal, toi.

BOUSILLE. Je l'avoue humblement : dans le temps où les chrétiens étaient jetés aux lions, j'aurais été un martyr joliment ridicule.

PHIL. Moi aussi, j'aurais été bien décourageant à voir pour le suivant !

HENRI, *s'approchant*. Sais-tu, Phil, il me vient une idée subitement : il y aurait peut-être encore moyen d'améliorer son sort, à ce braillard-là.

PHIL. Je gage que tu as eu un éclair de bon génie, toi.

HENRI. Qu'est-ce que tu dirais, mon Bousille, de la place de portier au collège ?

BOUSILLE, *frappé*. Quoi ?

HENRI. Une belle chambre propre à toi tout seul, proche de la chapelle pour tes dévotions. Assis comme un ministre devant un téléphone et un micro. Ton seul travail : appeler les élèves au parloir les jours de congé !

BOUSILLE, *ébloui*. Je serais aux petits oiseaux.

HENRI. Mille *piastres* par année. C'est pas de la petite bière !

BOUSILLE. Je pourrais te rembourser.

PHIL. Bien mieux que ça. Mille *piastres* ! Y penses-tu ? Avec un revenu de quatre chiffres comme celui-là, tu pourrais te payer le luxe d'un scooter, mon petit garçon. Un scooter ! Te rends-tu compte ? De la couleur que tu voudrais !

HENRI. Finis le traînage de savates et tes sacrées douleurs dans le genou qui te plissent le front et qui nous crèvent le cœur !

BOUSILLE. Moi, il est évident que c'est la marche qui me tue.

HENRI. Le bonhomme Lafrance perd la vue au point qu'il se cogne la pipe de plâtre sur tous les murs.

BOUSILLE, *honnête.* Mais je ne voudrais pas le faire dégommer pour tout l'or du monde.

HENRI. Eh non ! Son sort est réglé de toute façon : c'est une question de jours pour qu'il prenne le chemin du dépotoir. Je m'étonne d'avoir à te l'apprendre ; la nouvelle court déjà le village. Inutile de te dire que les candidats se bousculent : une chance comme celle-là, qui se présente une fois dans la vie d'un homme !

BOUSILLE. Tu pourrais m'obtenir la position, tu penses ?

HENRI. Dans des conditions ordinaires et avec mes influences politiques, je te le garantis la main sur la conscience ! Mais supposons une minute qu'Aimé est condamné : me vois-tu arriver devant le frère directeur, la tête basse ? Moi, Henri Grenon, le frère d'un homme qui aurait été reconnu coupable d'avoir tué son semblable d'un coup de poing ? Jamais je ne réussirais à décrocher le gros lot pour toi ! *(Sous le nez de Bousille.)* Non. Aussi bien voir les choses en face : pour que je m'occupe de tes affaires avec succès, il faut qu'Aimé soit acquitté, ni plus ni moins.

PHIL. Arrêté par erreur, relâché avec des fleurs !

HENRI. L'accusé ? Tout simplement un beau gars de Saint-Tite qui a eu le courage de cogner quand un petit prétentieux de Montréal a voulu lui débaucher sa blonde. Là, c'est une autre histoire, crois-moi sur parole : tout le monde *chante le coq* dans le village ! Et moi, je t'apporte ton contrat en bonne et due forme avec la clef du collège sur un plateau.

BOUSILLE. Ce serait bien mon rêve !

HENRI, *avec intention.* Ça dépend seulement de toi, mon petit vieux.

BOUSILLE. Comment ça ?

HENRI, *change de ton, approche une chaise et s'assoit près de Bousille.* As-tu pensé à ce que je t'ai dit, hier soir ?

BOUSILLE. Hier soir ?

HENRI. Avant que tu partes pour Saint-Tite.

BOUSILLE, *commençant à comprendre.* Ah ! oui…

HENRI. Vois-tu, dans ce que tu as raconté à l'avocat, il y a un petit point qui manque un peu de précision. Une bagatelle, remarque bien, mais qui pourrait être prise par le jury dans un sens comme dans l'autre et faire toute la différence du monde pour le verdict. Alors, si tu veux, on va tâcher de jeter un peu de lumière sur le sujet.

BOUSILLE. Moi, je ne demande pas mieux que tout soit clair et net.

HENRI. Il s'agit de ta version de la bataille entre Aimé et Bruno. Le commencement a du bon sens, mais la fin est embrouillée en diable : un deuxième coup de poing – donné, pas donné – avec une phrase abracadabrante de la part d'Aimé. *(Il exagère à dessein.)* Tu aurais l'impression de l'avoir entendu marmotter une menace bien vague au sujet d'une lettre…

BOUSILLE, *l'arrête.* Excuse-moi, une seconde : il ne s'agit pas d'une impression, je suis sûr, malheureusement.

HENRI. Voyons donc !

BOUSILLE. Il l'a dit clairement, je regrette.

HENRI. Ouais ! Seulement, tu aurais avantage à m'écouter, au lieu de me radoter ce que tu as vu en rêve.

Comprends-tu ? *(Il met lourdement la main sur le genou de Bousille.)*

BOUSILLE, *gémit et soustrait son genou.* Attention !

HENRI. Tiens ! Il est sensible à ce point-là ?

BOUSILLE. Je ne peux pas le dire assez.

HENRI, *après un temps.* Ça va mieux ?

BOUSILLE. Oui, la douleur s'éloigne lentement.

HENRI. Prends-y garde, hein ? Mieux vaut prévenir que guérir.

BOUSILLE. C'est sûr.

HENRI. Prends-y bien garde. D'autant plus que moi, je te le répète, quand on me résiste, je perds le nord. N'importe quoi peut arriver. C'est mon défaut mignon : tu saisis ?

BOUSILLE. Je comprends, ce n'est pas ta faute.

HENRI. Tu n'aimerais pas recevoir une tuile dessus ?

BOUSILLE. Non, si possible.

HENRI. Tâchons donc de tomber d'accord. Par exemple, pour en revenir à ton histoire, je te l'ai dit tout net : je ne marche pas, moi.

BOUSILLE. Pour t'aider à comprendre, je vais te répéter ce qui s'est passé exactement, même si ça me chavire d'en parler.

HENRI. Tu perdrais ton temps : mon idée est faite.

BOUSILLE. Mais... tu ne peux pas savoir, toi : tu étais dans les airs, en route pour ta lune de miel.

HENRI. Je t'assure, moi, qu'après le premier coup de poing, Bruno est resté sur le carreau, la cloche a sonné : le match était fini !

BOUSILLE. C'est curieux, ça : tu prétendais, il y a cinq minutes, que j'avais une mémoire de kodak. Et maintenant, tout ce que je me rappelle, c'est de travers.

PHIL, *intervient*. Fie-toi à lui, pas à ton imagination. Tu ne le regretteras pas, je te le dis !

BOUSILLE. Oui, mais...

HENRI. Vois-tu, le malheur avec toi, c'est que tu as la tête enflée, en plus du genou.

BOUSILLE. Ça se pourrait bien.

HENRI. Tu es le seul témoin, tu n'as aucune preuve de ce que tu avances, tu pourrais inventer la plus belle histoire de loup-garou, que tout le monde serait forcé de te croire sur parole.

BOUSILLE. C'est-à-dire que...

HENRI. D'après toi, vous êtes seulement deux sur la terre à être infaillibles : le pape à Rome, Bousille à Montréal. V'là la vérité ! pas de discussion ! point final !

BOUSILLE. Ce que tu dis là, c'est un peu insultant pour le Saint-Père, tu sais.

HENRI. Oui, mais admets que – dans ton cas à toi – quand tu fais une déclaration, on peut avoir un doute dans la tête.

BOUSILLE. Un gros doute.

HENRI. Eh bien, l'avocat lui-même nous l'apprenait juste à ta place hier soir : « Le doute est favorable à l'accusé. » Autrement dit, s'il y a le moindre doute, il faut donner un coup de main à Aimé : c'est la loi qui le dit en toutes lettres !

BOUSILLE. Si un doute existe, comme tu le prétends, cesse de t'inquiéter : le juge le verra tout de suite et déclarera Aimé non coupable.

HENRI, *avalant sa rage*. Je veux que tu tranches la question toi-même à la place du juge, comprends-tu ? Je n'ai pas confiance en lui, je te le répète.

BOUSILLE, *estomaqué*. Mais... tu sais bien que je n'ai pas la compétence voulue pour faire son travail.

HENRI, *frappe de nouveau sur le genou de Bousille, que la douleur plie en deux*. Vas-tu finir de regimber ? Espèce de bouché des deux bouts ! *(Il se lève et va à la commode remplir son verre.)*

PHIL, *qui marche de moins en moins avec Henri*. Écoute, Bousille : j'admets qu'Henri est une de nos belles natures de brute. Mais de ton côté avoue que tu as la *comprenure* difficile... C'est pourtant simple ce qu'il te demande.

BOUSILLE, *la tête basse*. Je ne suis pas intelligent, je le sais. Prenez-en donc votre parti. Moi, je m'en rends compte depuis que j'ai l'âge de raison. À l'école, immanquablement, j'étais le dernier à comprendre au fond de la classe. Heureusement que la maîtresse était patiente. Elle savait que je m'appliquais au possible et que mon père allait me flanquer une autre raclée si je redoublais mon année une fois de plus. Alors, au lieu de se fâcher et de me bousculer comme vous le faites, elle me gardait après quatre heures. On faisait une petite prière au Saint-Esprit. Et puis, ensemble, on donnait un coup de collier pour que je comprenne. Et des fois on y arrivait !

PHIL, *apitoyé plus qu'il ne veut le laisser paraître*. Écoute, mon Bousille : il n'est pas question de te taper dessus, mais...

HENRI, *déjà face à Bousille, l'œil dur*. Tu veux une leçon particulière ? Entendu, mon petit bêta : sors ton ardoise, je vais te dicter ton devoir de la journée. Prends-le mot à mot, si tu ne veux pas revoir le fantôme de ton père ! *(L'empoignant par le revers de son veston.)* Quand l'avocat te demande s'il s'est passé quelque chose après la chute de Bruno, tu réponds non. *(Il continue, malgré l'ahurissement de Bousille.)* Il ne s'agit pas d'inventer un roman policier pour que tu t'embrouilles : tout ce que tu as à dire là-dessus, c'est non. N-o-n, non ! C'est clair ?

BOUSILLE. Mais je ne peux pas répondre non, quand…

HENRI, *le gifle.* Veux-tu que je te l'écrive sur le front ?

PHIL. Une minute, Henri ! *(Il intervient entre les deux et tâche de le calmer.)* Laisse-moi lui parler un peu. J'ai l'habitude avec lui.

HENRI, *qui dégage, en consultant sa montre.* Coupe ça court : il est dix heures moins vingt. D'autant plus que je commence à en avoir plein le dos, moi !

PHIL, *à Bousille.* Tu l'entends ? Je trouve que tu as un peu trop confiance en ton étoile, mon petit intrépide. Je te le dis, moi : le temps se gâte à vue d'œil. Si le tonnerre t'éclatait au-dessus de la tête, tu risquerais de te faire abîmer joliment. Tu ne penses pas ?

BOUSILLE. Non. Il paraît que c'est l'éclair qui est dangereux.

PHIL, *démonté.* Évidemment ! Quand le tapage arrive, il est déjà trop tard : le dommage est fait. Tu as compris ça une fois pour toutes, toi. C'est ce qui fait ta force dans les moments difficiles. De toute façon, tu sais que tu as la vue trop courte pour voir venir le danger : à quoi bon t'inquiéter et te faire du mauvais sang ?

BOUSILLE. C'est justement ce que le père Anselme me répète si souvent : « Pourquoi te tracasser et te faire du souci ? Tu es dans la main de Dieu. » D'ailleurs Notre-Seigneur l'a dit : « Pas un seul cheveu de votre tête ne tombe sans la permission de mon Père qui est dans les Cieux. »

PHIL. Ouais ! Tu prends rarement le crachoir dans les salons, mais quand on te questionne dans ta spécialité, sais-tu que tu te débrouilles comme le petit Jésus au Temple !

HENRI, *qui rongeait son frein, vient vers eux*. Eh bien ! pour l'Histoire sainte, ça suffit !

PHIL. Patiente un brin ! Tu vois bien que je n'ai pas encore fini ma petite conférence au sommet.

HENRI. Je t'accorde trente secondes, pas un tic-tac de plus.

PHIL. Le moment viendra toujours assez vite de donner le signal du carnage. Pas vrai, Bousille ? *(Bousille acquiesce, sans trop comprendre.)* Pour commencer, je vais te demander un petit renseignement confidentiel : es-tu assez franc pour admettre que tu as déjà conté une menterie, toi ?

BOUSILLE, *après un court moment d'introspection*. Ça pourrait m'arriver, comme à n'importe qui.

PHIL. Mais oui, tu fais partie de notre union, toi aussi. Eh bien ! tout ce qu'Henri te demande, mon crapoussin, c'est de jouer un bon tour au juge et de lui en placer une, comme tu sais si bien le faire. Une petite blague d'une seconde en trois lettres : il ne s'en fait pas de plus courtes !

BOUSILLE, *murmure, stupéfait*. Quoi ?

PHIL. Personne pour te démentir : tu es le seul témoin. La situation est idéale, je te le dis !

BOUSILLE. Je regrette… mais je pense avoir encore moins compris que jamais.

PHIL. Comment ça ? J'aurais passé un petit détail insignifiant par hasard ?

BOUSILLE. Ma petite menterie, comme tu l'appelles, je suis sûr que tu as oublié sur quel livre je mettrai la main avant de la conter.

PHIL, *prenant le missel de Bousille.* Sur un semblable à celui-là, pauvre toi ! *(Il l'ouvre au hasard et lit.)* « En ce temps-là, Jésus dit à ses disciples : "En vérité, en vérité, je vous le dis…" » *(Le refermant.)* Tu vois : il y a tout ce qu'il faut là-dedans. Ne viens pas me faire avaler qu'il te donne la tremblote à ce point-là, ton missel : tu l'as sous le bras chaque matin, en allant à la messe de six heures.

BOUSILLE. Et tu veux que je fasse ce qu'Henri me demande, après avoir juré là-dessus de dire toute la vérité et rien que la vérité ?

PHIL. Tout simplement ! Tu vois qu'il n'y avait pas de quoi te cabrer si longtemps.

HENRI, *jovial.* Pensais-tu que le greffier allait te faire déclencher une bombe atomique ?

PHIL. Il me semblait, aussi, que je réussirais à lui exposer le problème dans toute sa brillante simplicité !

HENRI. Mon cher concitoyen, donne-moi ton appui enthousiaste, comme dirait le député, et l'affaire passe au nez du juge comme le rapide de midi devant la station !

PHIL. Aimé tombe dans les bras de sa mère, qui ouvre les écluses et lui arrose la cravate ! Tout le monde danse de joie dans la maison ! Les enfants chantent : « Nouvelle agréable ! » Le chien jappe ! Les petits poissons rouges sont fous ! Et toi, dans ton coin, tu regardes le tableau avec la satisfaction du devoir accompli, en te disant: « Moi, je le connais, le bienfaiteur anonyme qui a fait le bonheur de toute cette belle famille nombreuse. »

HENRI. Quant à moi, inutile de me chercher dans le groupe, je suis déjà au collège, en train de régler ton affaire. Il faut qu'avant la fin du mois, les frères t'attendent sur le perron, le sourire fendu jusqu'aux oreilles.

PHIL. Rangeons-nous ! V'là que tu t'amènes sur ton scooter, en pétaradant comme un faraud de la ville ! Tiens… *(Sortant sa liasse de billets de banque.)* J'ai tellement hâte de te voir parader sur ce bijou-là que je te fais cadeau, séance tenante, de cinquante *piastres*, comme premier acompte.

HENRI, *exhibe son propre rouleau.* Moi, je relance: cent *piastres* !

PHIL. Entends-tu ça ? Cent cinquante tomates ! Oscar Perron te fera crédit pour le reste: tu peux l'avoir devant la maison dès demain soir !

HENRI, *touche Bousille à l'épaule, lui mettant presque les billets sous le nez.* Qu'est-ce que tu en dis, mon gars ?

BOUSILLE, *lève la tête et regarde les deux hommes à tour de rôle, consterné.* Vous ne pouvez pas me demander de faire une chose pareille.

HENRI. Quoi ?

BOUSILLE. Vous savez bien que ce serait un faux serment…

HENRI. Écoute, toi…

BOUSILLE, *le sang glacé.* Le bon Dieu me laisserait retomber dans mon vice, sûr et certain…

HENRI, *pris d'une rage sourde.* Je t'avertis charitablement: le temps de niaiser est fini.

BOUSILLE, *tout entier à son obsession.* J'ai eu un pauvre oncle qui a attrapé un châtiment terrible, vous le savez, pour une faute semblable.

PHIL, *qui se rend compte que l'affaire ira plus loin qu'il ne le pensait.* Moi, je te conseille de laisser faire, Henri.

BOUSILLE, *le souffle court, a sorti de sa poche sa petite fiole de pilules.* Si vous l'aviez vu apparaître tel que je le verrai toujours : il courait, il courait comme un possédé ! Le sang coulait partout…

PHIL, *à Henri.* Tu n'en viendras jamais à bout, je te l'assure !

HENRI, *gronde.* C'est ce qu'on va voir.

BOUSILLE. Il criait : « Le bon Dieu m'a puni ! Le bon Dieu m'a puni… »

HENRI, *gueule.* Assez !

Bousille, qui se préparait à avaler une pilule, s'arrête, abasourdi. En silence, Henri s'avance vers lui et donne une claque sur la fiole, dont le contenu s'éparpille dans la pièce. Puis, d'un coup violent sur l'épaule, il envoie Bousille choir sur le porte-bagages. Bousille n'a eu et n'aura jusqu'à la fin de la scène aucun geste défensif.

PHIL, *la colique au ventre.* Non, Henri, non ! je te le dis : ça ne vaut pas le coup !

HENRI, *à Phil, lui indiquant le missel.* Ta gueule, toi ! et donne-moi ça.

PHIL, *le lui remet, incapable de résister.* J'ai toujours cédé devant toi. Je suis trop lâche, tu le sais. Mais là, je te le répète : s'il te reste le moindrement de cœur…

HENRI, *l'écarte d'un coup*. J'ai dit : « Ta gueule ! » *(Froid comme l'acier devant Bousille.)* Tu vas jurer de témoigner comme je te l'ai indiqué.

BOUSILLE, *le regarde, épouvanté*. Tu ne comprends pas.

HENRI, *lui tendant le missel*. Tu vas jurer là-dessus.

BOUSILLE. Non...

HENRI. Entends-tu ? *(Il le gifle.)*

BOUSILLE. Tu ferais mon malheur.

HENRI. Jure !

BOUSILLE. Tu ferais mon malheur, je ne peux pas le dire...

HENRI. Bon Dieu ! *(De tout son poids, il a appuyé son genou sur la jambe étendue de Bousille, dont la phrase inachevée se termine en un gémissement : il défaille, la tête appuyée sur l'estomac d'Henri.)*

HENRI, *à Phil*. Passe-moi ce verre-là. *(Il indique son verre encore à demi rempli d'alcool.)*

PHIL, *jaune de peur, apporte le verre*. Fais attention, Henri : c'est dangereux pour lui, ça... tu sais pourquoi.

HENRI. Fous-moi la paix ! *(À Bousille, qui revient de sa défaillance et geint faiblement.)* Reprends tes sens ! Tes simagrées, je les connais.

BOUSILLE, *murmure, encore à demi inconscient*. Tu ne comprends pas...

HENRI, *lui approchant le verre des lèvres*. Bois.

BOUSILLE. ... Je ne peux pas le dire assez.

HENRI. Vas-y, gobe ! *(Il lui verse dans la bouche une gorgée d'alcool, que Bousille rejette à moitié, dès qu'il en reconnaît le goût. Reprenant le missel.)* Jure ! *(Comme Bousille refuse de la tête.)* Veux-tu que je répète la dose ?

BOUSILLE. Non !

PHIL, *terrifié lui aussi.* Cède, Bousille : c'est mieux pour toi.

BOUSILLE, *complètement perdu.* Je ne sais plus…

HENRI. Je sais, moi. *(Plaçant la main de Bousille audessus du missel.)* Tu jures de faire ce que je t'ai dit ? *(Non satisfait du vague signe d'acquiescement de Bousille.)* Dis oui, ma tête de pioche !

PHIL. Dis oui, Bousille, vite !

HENRI, *le genou sur celui de Bousille.* … ou je te le casse en deux !

PHIL. Il va le faire, Bousille !

BOUSILLE, *dans un souffle.* Oui.

PHIL, *crie.* Lâche-le, Henri ! Lâche-le, il a juré !

HENRI, *laisse retomber la main de Bousille et déplace son genou.* Tu sais ce que tu viens de faire ? Tu te rends compte que tu n'as plus le choix maintenant ? *(Il a consulté sa montre.)* Lève-toi : c'est le temps de partir.

PHIL, *aidant Bousille à se relever et à remettre son imperméable.* Viens-t'en, Bousille.

BOUSILLE, *murmure, hébété.* Le bon Dieu m'est témoin que je ne voulais pas.

HENRI. Tu viens de te conduire comme un homme, si tu veux le savoir, pour la première fois de ta vie. *(Le poussant vers la porte.)* Avance !

BOUSILLE. Le bon Dieu m'est témoin…

HENRI, *qui a déjà ouvert la porte et attend.* Grouilletoi !

PHIL. Viens, mon Bousille. *(Il l'entraîne vers la sortie.)*

QUATRIÈME ACTE

Au lever du rideau, la mère est couchée, une serviette humide sur le front. Près d'elle, encombrant la table de chevet, un verre d'eau, des médicaments, son chapelet, etc. Assis sur le porte-bagages, au pied du lit, le frère Nolasque lui fait la lecture.

NOLASQUE, *lisant.* « Comme l'écrivait le révérend père Guétry dans son étude sur la grâce, considérée non pas tellement comme un don gratuit de Dieu, mais bien plutôt comme une rétribution ou, mieux encore, comme une récompense qu'il faut sans cesse mériter de nouveau, au prix de mortifications quotidiennes constamment renouvelées et acceptées dans le renoncement de soi, de ses préférences personnelles et de ces mille petits riens qui sont l'essence... »

LA MÈRE, *la tête cassée.* Nolasque !

NOLASQUE. Oui, ma tante ?

LA MÈRE. Nolasque, tu es bien bon, mais cesse de lire, tu m'énerves !

NOLASQUE, *sans se démonter.* Entendu, ma tante.

LA MÈRE, *comme Noëlla s'approche, lui tend la serviette qu'elle avait sur le front.* Noëlla, veux-tu me la changer pour une fraîche ?

NOËLLA. Essayez donc de vous assoupir un petit quart d'heure.

LA MÈRE, *gémit*. Impossible ! Les idées noires me tournaillent dans la tête comme le linge sale dans la laveuse.

NOLASQUE, *qui étouffe un petit bâillement*. En effet, ma tante, il me semble qu'un peu de sommeil vous soulagerait beaucoup. D'ailleurs, moi, il va falloir que je vous quitte bientôt, à mon grand regret.

LA MÈRE. Faudrait pas te mettre en retard pour moi.

NOLASQUE, *qui a sorti de sa poche une grosse montre en argent*. Déjà quatre heures vingt-cinq ! Le frère cuisinier vient chercher un voyage de pommes de terre au marché Bonsecours à quatre heures trente et il a gracieusement consenti à me cueillir en bas dans le camion de la communauté.

LA MÈRE. Prépare-toi pour ne pas le faire attendre.

NOLASQUE. J'allais le dire : à cette heure-ci, il lui serait difficile de stationner longtemps devant l'hôtel.

Silencieusement, Noëlla est venue placer une autre serviette sur le front de la mère.

LA MÈRE. Merci, ma bonne Noëlla. Mais dites-moi donc ce qu'ils attendent, les enfants, pour me téléphoner des nouvelles ?

NOLASQUE. Je suis sûr qu'ils vous en donneront dès qu'ils en auront eux-mêmes.

LA MÈRE. Il devrait pourtant achever, ce damné procès-là ! Phil prétendait à midi que tous les témoins étaient passés.

NOLASQUE. Dois-je comprendre que Bousille a enfin témoigné aujourd'hui ?

LA MÈRE, *dolente*. Ce matin, oui. La belle Colette aussi.

NOLASQUE. J'ose croire qu'il s'est acquitté de sa tâche avec honneur ?

LA MÈRE. Questionne Noëlla : personne ne me dit plus rien à moi.

NOËLLA, *laconique*. Tout s'est déroulé comme Henri le voulait. *(Elle apporte à Nolasque son manteau et son chapeau.)*

NOLASQUE. Dieu soit loué ! Car Bousille me confiait hier matin que la crainte de se tromper le tracassait beaucoup. Je regrette d'avoir à m'en aller sans lui dire un petit bonjour.

NOËLLA. Tu n'aurais pas pu le voir de toute façon : Phil lui a fait prendre l'autobus pour Saint-Tite, après l'audience de ce matin.

NOLASQUE. Ah ! vraiment, il est parti ?

NOËLLA. Oui. Il était complètement épuisé.

NOLASQUE. Vous remercierez de ma part cousin Vezeau pour sa touchante délicatesse. Tout à l'heure, j'irai à la chapelle dire une petite prière à son intention.

NOËLLA. Surtout, prie pour ton pauvre Bousille. *(Sans vouloir en dire davantage.)* Il doit être bien malheureux en ce moment.

NOLASQUE. Je le crains, moi aussi : l'issue du procès lui tient tellement au cœur.

LA MÈRE. Qu'est-ce qu'ils font qu'ils n'appellent pas, les innocents ?

NOLASQUE, *près du lit, son chapeau et son livre à la main*. Alors au revoir, ma tante. Et bon courage ! Je reviendrai vous distraire demain après-midi, si vous êtes toujours dans le même état.

LA MÈRE, *affolée à cette idée.* Pauvre petit garçon ! Si l'affaire traîne jusque-là, je te préviens, tu me trouveras ensevelie !

NOLASQUE, *qui a de la suite dans les idées.* D'ici là, encouragez-vous en pensant à Notre-Dame des Sept Douleurs pendant la passion de son Fils bien-aimé.

LA MÈRE. Pauvre Sainte Vierge, va ! Si elle a pâti autant que moi, que je la plains donc !

NOLASQUE. De mon côté, je vais continuer de prier pour que justice se fasse.

LA MÈRE. Prie pour qu'on gagne : c'est tout ce que je te demande.

NOLASQUE. Entendu, ma tante.

LA MÈRE. Bonne sainte Anne, si vous êtes le moindrement de mon bord, faites qu'ils téléphonent !

NOLASQUE, *prenant congé de Noëlla.* Bon courage à vous aussi, madame Grenon.

NOËLLA. Au revoir, Nolasque. Merci d'être venu.

Une sonnerie de téléphone emplit la chambre. Sursaut général. La mère, comme mue par un ressort, envoie voler en l'air la serviette qu'elle avait sur le front et se dresse à genoux sur son lit.

LA MÈRE, *pendant que Noëlla se dirige vers le téléphone, bégaie.* Mon Dieu ! Mon Dieu ! Bonne sainte Anne, ayez pitié de votre petite fille !

NOËLLA, *au téléphone, tendue malgré elle.* Allô !... Pardon ?

LA MÈRE. Qu'est-ce qu'il dit ? Vite ! Tu me fais mourir !

NOËLLA, *à Nolasque, qui retenait son souffle lui aussi, le cou tendu vers le téléphone.* C'est le frère Théophane qui t'attend en bas.

La mère se laisse retomber comme une loque, dans un long gémissement.

NOËLLA, *au téléphone.* Il descend tout de suite. *(Elle raccroche et ne peut s'empêcher de se passer la main sur le front.)*

NOLASQUE, *toussotant pour cacher son embarras.* Je regrette, ma tante. Vous auriez sûrement préféré avoir des nouvelles. Et surtout de bonnes nouvelles.

LA MÈRE, *pitoyable.* Bonne sainte Anne, je suis fatiguée de toujours vous répéter la même chose !

NOLASQUE. Armez-vous de patience, ma tante : vous savez qu'il y a des procès qui durent quinze jours, trois semaines.

LA MÈRE, *geint.* Dis pas ça, toi : je t'étripe !

NOLASQUE, *se retirant, les oreilles rouges.* Entendu alors. Et encore une fois, bon courage !

Soudain la porte s'ouvre. Phil entre en trombe.

PHIL, *clame, les bras en l'air.* Victoire et délivrance !

LA MÈRE, *pétrifiée cette fois et les yeux exorbités.* Hein ?... Quoi ?...

PHIL, *vient vers le lit et la secoue par les épaules.* J'ai dit : victoire ! la belle-mère. Allez-y, faites-la, votre syncope !

LA MÈRE, *qui redoute l'énervement de comprendre.* Tu ne veux pas dire que... ?

PHIL. Eh oui! Votre enfant de chœur vient d'être acquitté haut la main.

LA MÈRE, *qui remonte à la surface lentement mais sûrement.* Non! pas vrai?

PHIL. On dirait d'une belle blague, mais c'est la vérité pure. *(Il est évident qu'il n'a pas attendu le jugement pour commencer sa cuite d'action de grâces.)*

LA MÈRE. Je ne peux pas le croire!

PHIL. Forcez-vous: on n'a pas le choix. La cause est renvoyée à coups de pied dans la procédure. L'accusé? Ni vu ni connu, je t'embrouille!

LA MÈRE, *braille.* Que je suis donc heureuse! Que je suis donc heureuse!

NOËLLA, *venant vers lui.* Le verdict vient d'être rendu?

PHIL. Tout juste. Le juge n'a même pas encore son sac de golf sur le dos.

LA MÈRE, *complètement revigorée.* Où est-ce qu'il est, lui? Je veux le voir tout de suite et le serrer dans mes bras, lui qui a tant souffert pour rien.

PHIL. Ils vont le relâcher d'une seconde à l'autre: à peine le temps de lui revisser son auréole sur la tête et de lui remettre son flasque dans la main.

LA MÈRE. Mon doux! Je ne serai jamais prête. *(Affolée.)* Noëlla, viens vite m'aider. *(Sans même chausser ses souliers, elle court vers l'autre chambre où Noëlla la suivra.)* Que j'ai hâte! Que j'ai donc hâte de le voir! *(Elle est déjà disparue.)*

NOLASQUE, *qui attendait, épanoui, s'avance.* Puis-je vous féliciter, cousin Vezeau?

PHIL, *qui ne l'avait pas encore aperçu, s'exclame.* Tiens! En plein l'homme que je voulais éviter aujourd'hui, moi.

NOLASQUE. Laissez-moi vous dire tout d'abord combien j'ai admiré votre courage à tous dans cette terrible épreuve.

PHIL. Du courage ? Je dirai même qu'on a eu un *front de bœuf*.

NOLASQUE. Tout cela prouve une grande vérité.

PHIL. Tu vas pourtant m'en sortir une autre sucrée, toi !

NOLASQUE. Ceux qui s'en remettent en toute confiance à la justice divine ne sont jamais déçus.

PHIL. Que c'est donc vrai ! Que c'est donc vrai ! Écris-la-moi sur un papier, celle-là : elle est trop bonne, il faut que je la raconte aux gars en arrivant à Saint-Tite.

NOLASQUE, *qui tient le coup de toute la force de sa candeur*. Avant de partir, je voudrais profiter de l'occasion qui m'est offerte pour vous remercier, vous et la famille au grand complet, pour votre générosité et votre compréhension à l'endroit de mon pauvre Bousille.

PHIL. Sacré farceur ! Toi, tu peux en pondre une douzaine de suite, comme ça ?

NOLASQUE. Il est tellement sans défense qu'il aurait été facile pour des gens peu scrupuleux d'abuser de sa bonne foi.

PHIL. Tu te fais des illusions, il nous a donné un mal de chien.

NOLASQUE. Je sais les lourds sacrifices que vous ont coûtés les bontés que vous avez eues pour lui, jusqu'à votre geste délicat d'aujourd'hui.

PHIL, *le prenant par l'épaule*. Tu ne me croiras jamais de ta sacrée vie de débauche, mais, ce geste-là, c'est justement ce que j'essaie de me chasser de la tête depuis le matin.

NOLASQUE. Mais soyez sûrs d'une chose : plus vous l'oublierez, plus Dieu s'en souviendra, Lui.

PHIL. Cesse donc de m'énerver, toi !

NOLASQUE. Et comptez bien qu'Il vous le rendra au centuple.

PHIL. T'es cruel en diable, toi, sais-tu ?

NOLASQUE. D'ailleurs, je ne fais que rapporter ses propres paroles : « Ce que vous ferez au plus petit d'entre les miens, c'est à Moi-même que vous le ferez. »

PHIL. Vas-y, fesse à tour de bras ! Profites-en : j'ai les culottes à terre.

NOLASQUE, *légèrement au bord de la déroute*. Alors au revoir. Et encore une fois bon courage... heu... félicitations.

PHIL, *lui serre la main*. Toi pareillement, vieille branche. Et les limbes à la fin de tes jours !

NOLASQUE, *qui se retire aussi dignement que possible*. Au plaisir. *(Il ouvre la porte et se cogne sur Aurore qui, hors d'haleine, entre en coup de vent.)*

AURORE, *hurle, sans s'occuper de Nolasque, qui ramasse son chapeau et sort*. Maman ! où êtes-vous ?

LA MÈRE, *lui tombant déjà dans les bras*. Aurore ! Aurore !

AURORE. Vous avez appris la nouvelle ?

LA MÈRE, *sans même attendre la fin de la question*. Ah ! c'est pas croyable.

AURORE. Je n'ai jamais été aussi excitée ! *(Elle disparaît dans la salle de bain.)*

LA MÈRE. C'est un vrai miracle ! *(Elle retourne en vitesse dans l'autre chambre.)*

PHIL, *en train de se servir un verre.* Pas le moindre doute. C'est dommage que j'aie déjà la foi, moi. Un miracle comme celui-là me la donnerait d'un coup sec.

LA MÈRE, *qui paraît un instant dans la porte.* Je vous le disais bien, hier soir, qu'il n'est pas plus pourri que le reste de la famille !

PHIL. Non, madame : inutile de chercher plus pourri que nous autres, vous perdrez votre temps. *(Constatant qu'il est seul dans la pièce.)* C'est ça ! Pour une fois dans ma vie que je prends mon courage à deux mains et que je dis la vérité, il n'y a pas un chat qui m'écoute.

AURORE, *sortant de la salle de bain.* Dépêchons-nous : Henri est en bas dans l'auto ; il veut qu'on aille tous ensemble attendre Aimé à la porte du Palais de justice.

LA MÈRE, *crie de l'autre chambre.* Ça traînera pas !

AURORE, *à Phil.* Appelle le garçon pour les bagages.

PHIL, *se verse charitablement une autre rasade.* Une seconde. Il me faut encore un peu de liquide dans le chameau avant de traverser le désert.

AURORE, *retouchant son rouge à lèvres devant la glace de la commode.* Je connais quelques commères à Saint-Tite qui feront mieux de se fermer la margoulette, si elles ne veulent pas recevoir une poursuite par la tête !

LA MÈRE, *vient chercher son sac sur le pied du lit.* La bonne sainte Anne, elle va l'avoir, son pèlerinage, je vous préviens ! *(Elle retourne dans la chambre voisine.)*

PHIL, *marmotte.* Moi, je fournis la bière. *(Au téléphone, son verre à la main.)* Allô ! Ici le 312.

C'est pour vous dire qu'on décampe, toute la bande. Envoyez donc le garçon pour descendre les munitions, voulez-vous ?... Eh oui ! il y a longtemps qu'on n'a pas fait de pique-nique, alors on part en pèlerinage ! *(Il raccroche.)*

LA MÈRE, *qui sort de la chambre voisine, manteau sur le dos, chapeau sur la tête et sac au bras.* Allons-y : je suis parée.

PHIL. Ce n'est pas de mes sacrées affaires, chère madame, mais si vous circulez comme ça sur le trottoir, vous allez vous faire de la corne aux pieds.

LA MÈRE, *constatant qu'elle marche toujours sur ses bas.* Voyons donc ! Est-ce que je serais en train de perdre la tête, moi ? *(Elle s'empresse de mettre ses souliers.)*

PHIL, *entre ses dents.* Une autre belle question inutile !

AURORE, *qui fait les bagages, aidée de Noëlla.* J'espère que j'aurai une minute pour acheter une poupée à Ghislaine : je lui ai promis un cadeau.

PHIL, *qui marmotte, ironisant toujours.* Et moi, je tâcherai de trouver une petite matraque pour Gontran : il doit apprendre à faire son chemin dans la vie, cet enfant-là.

AURORE. Il faudrait bien aussi que j'apporte quelque chose à madame Laberge, qui garde la maison depuis deux jours.

PHIL, *prenant la photo d'Aimé sur la commode.* Oubliez pas la photo d'Al Capone.

LA MÈRE. Cher petit chou, va ! *(Elle baise la photo avant de la glisser dans son sac.)*

AURORE. Tenez, votre statue miraculeuse. *(Elle lui tend la statue de sainte Anne, déballée au premier acte.)*

LA MÈRE, *dramatique, la statue à la main.* Silence, une minute ! Avant de partir, mettons-nous tous à genoux, ensemble plus que jamais, pour remercier la bonne sainte Anne de nous avoir exaucés.

AURORE, *comme la mère va s'agenouiller.* Vous, maman, ne recommencez pas vos litanies !

PHIL. Pourquoi vous forcer le moulin à prières, la belle-mère ? On l'a eu, ce qu'on voulait.

LA MÈRE. Oui, mais...

Le téléphone a sonné.

AURORE. Venez ! Vos petites dévotions, vous les ferez une autre fois. *(Elle se dirige vers le téléphone.)*

PHIL. Bien sûr ! Ça va bien, là : on priera la prochaine fois qu'on sera dans le pétrin.

AURORE, *a déjà répondu à l'appareil.* Qui ?... *(Aux autres.)* Saint-Tite qui appelle !

PHIL, *étonné.* Saint-Tite ?

AURORE, *au téléphone.* Allô !... Oui, madame Laberge...

HENRI, *faisant irruption dans la pièce.* Qu'est-ce que vous faites, bon Dieu ? Grouillez-vous !

LA MÈRE, *attrapant son sac.* Moi, je suis prête : je descends tout de suite. *(Elle sort à la course.)*

PHIL, *s'approchant d'Aurore, inquiet.* Quoi ?...

AURORE, *laisse, hébétée, retomber le récepteur.* Ghislaine...

PHIL, *soudain dégrisé.* Qu'est-ce qu'il y a ?

AURORE, *la voix blanche.* ... vient de trouver Bousille... dans le grenier du garage... pendu !

Noëlla se prend le visage dans les mains. Les autres restent pétrifiés.

AURORE. Il est arrivé là-bas soûl…

PHIL. Soûl ?

AURORE. … il est monté au grenier… et il s'est pendu. *(Après un silence de plomb.)* La police nous attend là-bas pour l'enquête.

Henri baisse la tête, le regard stupide.

PHIL, *se tourne lentement vers lui et murmure, les dents serrées.* Tu voulais éviter un scandale : prépare-toi à nous sortir de celui-là, mon salaud !

Voici l'équivalent ou la signification des mots et expressions propres au Québec et imprimés en italique dans le texte :

Du bon monde	De braves gens.
Guidoune	Coureuse, catin, dévergondée.
Bec	Bécot.
Courir la galipote	Bambocher, vadrouiller, faire la noce.
Cenne	Cent, sou. (Le cent est la centième partie du dollar. Populairement, au Canada, ce mot est toujours du féminin et se prononce *cenne.*)
Quêteux	Gueux, mendiant.
Chanter le coq	Chanter victoire.
Comprenure	Comprenette.
Avoir un front de bœuf	Avoir un sacré culot.
Piastre	Dollar.

Ces équivalents constituent des variantes, que le metteur en scène pourra employer à son gré.

Les interprètes pourront se permettre de supprimer la particule négative « ne » comme on le fait souvent dans le parler populaire. Sans s'y complaire, l'avocat, Noëlla et le frère Nolasque en respecteront cependant la prononciation.

G. G.

DOSSIER

RÉCEPTION CRITIQUE

La création de la pièce de Gratien Gélinas s'est terminée hier soir dans la stupeur de découvrir en lui un auteur tragique. Pas un auteur tragique à la façon dont l'entendaient les Anciens, mais de façon toute moderne, qui utilise le naturalisme aussi bien pour obtenir des effets comiques que pour créer, par exemple ici au troisième acte, un climat de cruauté sadique presque intolérable.

On a entendu là la satire la plus dure, la plus impitoyable qui se puisse écrire sur une société bien pensante, sur ses credos sans conviction profonde, sa morale à fleur de peau, son jeu puéril de prières à tout guérir, au point qu'il faut être aveugle, ou volontairement inconscient, pour ne voir là qu'une pièce amuse-gueule.

Monsieur Gratien Gélinas, avec cette pièce, nous révèle un autre aspect de son talent. Cette fois, plus encore que par le passé avec ses revues et avec *Tit-Coq*, il nous invite à faire face au miroir et à consentir un examen de conscience sérieux. Se fait-il illusion ? Croit-il que le spectateur a une conscience collective et qu'il accepte la leçon qu'on lui propose ? À tout événement, il a écrit une pièce qui ne ressemble à aucune autre, ce qui est déjà d'un mérite exceptionnel, et il a composé un ensemble de scènes dont se dégage, après le remue-ménage comique des deux premiers actes, une impression de grandeur tragique à laquelle on ne peut rester insensible.

JEAN BÉRAUD
La Presse

Gélinas marque des coups durs et qui portent. Comme Molière il a un tempérament de réformateur. C'est un idéaliste qui décrit avec une verve cruelle pour corriger. Le procès auquel nous venons d'assister est plus qu'un simple cas d'assises, c'est le procès d'une société qui fait fi des valeurs les plus sacrées, et qui se parjure.

Ce qui aurait pu être un simple canevas policier est en réalité un drame de conscience qui renferme des leçons profondes... Sa portée psychologique et morale a quelque chose d'universel... La pièce révèle le Gélinas de la maturité. Il est en possession d'un style rigoureusement personnel ; on retrouve ses dons si divers : une gauloiserie à la Rabelais, des traits de caractère moliéresques, un réalisme vigoureux, le coup de fouet du pamphlétaire et le grand idéaliste, l'homme tendre qui se cache derrière sa carapace truculente, coriace et féroce.

PIERRE SAUCIER
La Patrie

Le pauvre Bousille sur le lit d'une minable chambre d'hôtel luttait contre les ombres de la mort. Quelques soubresauts, un long cri qui appelle son unique ami, son chien, et Bousille s'enferme dans le silence qui jamais plus ne sera troublé.

Mimétisme, jeu de rétine, réflexes de la mémoire... comment savoir ? Mais c'est l'image de Charlot, ce sont des mots de Charlot qui s'imposaient à mon esprit alors que Gratien Gélinas râlait le dernier souffle de son personnage.

« Mon idée, a écrit Charlie Chaplin, en imaginant Charlot, ce pauvre chemineau, cet être ahuri, inquiet, nourri d'une philosophie pathétique, était de créer une satire. Oh ! oui, Charlot a fait rire mais, tel Paillasse, des sanglots ont souvent fait écho à la gaieté derrière laquelle s'abritait le timide petit homme pour décocher les traits de sa verve satirique. » Difficile de mieux définir en si peu de mots un personnage qui jusqu'à la fin des siècles aura sa place auprès de Figaro.

Il y a peu de jours, un autre petit homme tout autant timide, nommé Bousille, s'est incarné devant nous. Pour des mois à venir ses mots et réflexions, ses souffrances et la grande misère de son pauvre cœur vont hanter nos cerveaux.

Poussés par une sorte d'instinct, nous chercherons à découvrir sous l'accoutrement miteux de ce demi-frère de Tit-Coq, l'âme c'est-à-dire les motifs qui le font agir, les données qui articulent ses raisonnements, la conscience qui règle sa conduite. Par la même occasion nous pourrons envisager le climat de turpitude, le terreau de brutalité subtile et l'hypocrite atmosphère dont l'action conjuguée a fait éclore dans la plénitude d'une sympathique douceur d'esprit ce Bousille qui croyait en la justice des justes.

C'est ainsi que par delà le temps, Bousille rejoint Charlot. Sans pourtant qu'il soit possible aux deux personnages de joindre les mains car le premier est incapable de véritable rancœur alors que le second sait tout et depuis longtemps de la férocité de la destinée humaine. Bousille pense que les hommes sont bons ; Charlot n'ignore plus que la bonté est grimace sur des visages peints.

ROGER CHAMPOUX
La Presse, 22 août 1959

Bousille demeure une œuvre immensément intéressante autant par son écriture dramatique, par sa technique de construction, par la place historique qu'elle occupe et par la société qu'elle décrit, à la fin du régime duplessiste, que par son thème, qui veut que la raison du plus fort soit toujours la meilleure ou que l'imbécile heureux puisse le rester, tant qu'il ne dérange pas. [...] Peu d'auteurs, même très contemporains, maîtrisent aussi bien que Gélinas les règles de l'exposition d'une situation et de la représentation des personnages : le premier acte terminé, le ressort de la tragédie est parfaitement monté, et chacun des protagonistes est bien en place sur l'échiquier des conflits. [...] Pas d'action superflue, un dialogue où chaque réplique est significative, des moments de rires, des instants de tendresse.

JEAN-LOUIS TREMBLAY
Cahiers de théâtre Jeu, nº 41, décembre 1991

Une solide structure dramatique, des personnages emblématiques mais bien campés, une plume qui peut être acide, un sens de la réplique et du détail révélateur : c'est tout ça qu'on retrouve dans *Bousille*. Des qualités qui ne vieillissent pas. Ce drame à la progression implacable comme une tragédie (qui respecte d'ailleurs l'unité de lieu et d'action) noue toujours la gorge. C'est l'hécatombe des purs au pays des corrompus et de ceux qui s'aveuglent volontairement. Refrain bien connu dans l'imaginaire québécois, les hommes y sont tous faibles, violents ou benêts.

MARIE LABRECQUE
Voir, du 22 juin au 1er juillet 1996

Créée en 1959, juste avant la Révolution tranquille, au moment où le Québec prenait son élan pour s'affranchir de l'emprise de la religion, cette pièce est considérée à juste titre comme la plus forte de Gélinas et l'une des plus marquantes de la dramaturgie des 50 dernières années.

SOLANGE LÉVESQUE
Le Devoir, 15 novembre 1999

NOTICE BIOGRAPHIQUE

Né en 1909 à Saint-Tite-de-Champlain, Gratien Gélinas fit ses débuts de comédien en 1927, au collège. Après avoir écrit de nombreuses revues satiriques, connues sous le nom de *Fridolinades*, il a créé en 1948 *Tit-Coq*, la vraie pièce de théâtre populaire que le public attendait. La carrière triomphale de *Tit-Coq* l'occupa durant plusieurs années : tournées, traduction, adaptation, film. Il a écrit par la suite *Bousille et les Justes* et *Hier, les enfants dansaient*. Il a fondé la Comédie-Canadienne qu'il a administrée jusqu'en 1972 et a été président de la Société de développement de l'industrie cinématographique. Gratien Gélinas est décédé en 1999.

BIBLIOGRAPHIE

Tit-Coq, Montréal, Beauchemin, 1950 ; Montréal, Typo, 1996.

Bousille et les Justes, Québec, Institut littéraire, 1960 ; Montréal, Typo, 1994 ; 2e éd. rev. et aug., Montréal, Typo, 2002.

Hier, les enfants dansaient, Montréal, Leméac, 1968 ; Montréal, Typo, 1999.

Les Fridolinades, 1945-1946, Montréal, Les Quinze, éditeur, 1980.

Les Fridolinades, 1943-1944, Montréal, Les Quinze, éditeur, 1981.

Les Fridolinades, 1941-1942, Montréal, Les Quinze, éditeur, 1983.

La Passion de Narcisse Mondoux, Montréal, Leméac, 1987.

Les Fridolinades, 1938-1940, Montréal, Les Quinze, éditeur, 1988.

TABLE

Cet ouvrage composé en Sabon corps 10
a été achevé d'imprimer
en mai deux mille deux
sur les presses de Transcontinental
Division Imprimerie Gagné
à Louiseville
pour le compte des
Éditions Typo.

Imprimé au Québec (Canada)